Jalisco

Historia y Geografía *Tercer grado*

Jalisco. Historia y Geografía. Tercer grado

Autor
Felipe Plascencia Vázquez

Apoyo institucional
Secretaría de Educación del estado de Jalisco

Supervisión técnica y pedagógica
María del Refugio Camacho Orozco
María Catalina González Pérez
Álvaro Heras Ramírez
Laura Lima Muñiz

Coordinación editorial
Elena Ortiz Hernán Pupareli

Cuidado de la edición
Felipe Sierra Beamonte

Investigación iconográfica
Rosa María González Ramírez
Irma Alicia Delgado Hipólito
Martha Gabriela Sánchez Anaya

Portada
Diseño: Comisión Nacional de los Libros de Texto Gratuitos
Ilustración: *La caza del venado* (fragmento) Jacobo Gálvez (1821-1882)
y Gerardo Suárez (1834-1870) *ca.* 1865.
Mural
Colección: Centro Cultural Regional La Moreña
La Barca, Jalisco
Fotografía: Betty Groth

Servicios editoriales
(SIC) Comunicación, S.A. de C. V.

Diseño gráfico:
Agustín Azuela de la Cueva
Elvia Gómez Rodríguez

Fotografía:
José Jorge Carreón Robledo
Cecilia Hurtado Alatorre

Mapas:
Francisco Lozano Blázquez
Adriana Corona Torres

Primera edición, 1997
Primera edición revisada, 1998
Primera reimpresión, 1999
Segunda edición revisada, 2000
Primera reimpresión, 2000

Ciclo escolar 2001-2002

D. R. © Ilustración de portada: Coordinación Nacional de Restauración-INAH
D. R. © Secretaría de Educación Pública, 1997
          Argentina 28, Centro,
          06020, México, D.F.

ISBN 970-18-4330-4

Presentación

El plan de estudios de educación primaria vigente otorga gran importancia al conocimiento que el niño debe adquirir acerca del entorno inmediato, la localidad y el municipio. Por ello, este nuevo libro de texto tiene como propósito que los niños y las niñas que cursan el tercer grado de educación primaria conozcan mejor la historia y geografía de la entidad federativa en donde viven: su pasado, tradiciones, recursos y problemas.

El conocimiento de estos aspectos es un elemento esencial para promover en los alumnos sentimientos de arraigo y aprecio de lo propio; con este propósito, el libro recoge la visión de viajeros y cronistas, cuya narración permite apreciar elementos de la vida diaria, las costumbres y la transformación del espacio geográfico de nuestra entidad. Estos testimonios, a través de los relatos e imágenes, nos ofrecen otra forma de valorar la riqueza de nuestro estado.

Esta obra es resultado de la colaboración entre la Secretaría de Educación Pública y el gobierno del estado de Jalisco, y fue escrita por un maestro de la entidad. Es, por lo tanto, un ejemplo de federalismo educativo, establecido en la Ley General de Educación.

Con la renovación de los libros de texto se pone en marcha un proceso de perfeccionamiento continuo de los materiales de estudio de la escuela primaria. Para que esta tarea tenga éxito son indispensables las opiniones de los maestros y los alumnos que trabajarán con este libro, así como las sugerencias de los padres y madres de familia. Estas aportaciones serán estudiadas con atención y servirán para que el mejoramiento de los materiales educativos sea una actividad sistemática permanente.

Índice

3 Introducción al estudio del pasado

4 El pasado de mi estado

JALISCO
EN MÉXICO

1

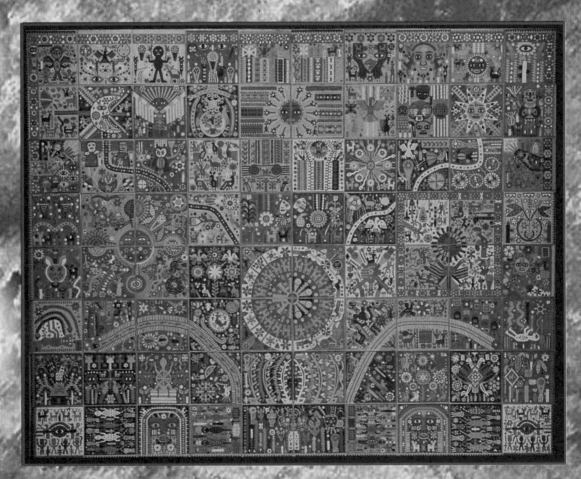

Mural Pensamiento y alma huichol,
de Santos de la Torre

Jalisco en la República Mexicana

Jalisco, la entidad en que vivimos, forma parte de nuestro país que se llama Estados Unidos Mexicanos, aunque lo conocemos también como República Mexicana o México.

Fragmento del Himno Nacional

Somos mexicanos todos los que hemos nacido en México, o en otro país, siempre y cuando alguno de nuestros padres sea mexicano. A los más de 90 millones de habitantes de México, nos une una historia común y un idioma, además de que compartimos tradiciones, costumbres y un territorio de casi dos millones de kilómetros cuadrados. Los mexicanos tenemos también un Himno, un Escudo y una Bandera, símbolos nacionales que nos identifican a todos.

Escudo Nacional

Plaza de los Tres Poderes o de La Liberación, en Guadalajara

México, como se observa en el mapa, limita al Norte con Estados Unidos de América, al Sureste con Belize y Guatemala, al Oeste y Sur con el océano Pacífico y al Este con el Golfo de México y el mar Caribe.

Nuestro país está formado por 31 estados o entidades federativas y un Distrito Federal, en el cual se ubica la Ciudad de México, capital de nuestra nación. Jalisco, la entidad en la que vives, es uno de los estados que constituyen la República Mexicana. La capital de Jalisco es Guadalajara.

¿Sabes cómo orientarte? Es muy sencillo. Para poder localizar un lugar usamos como referencia los puntos cardinales: Norte, Sur, Este y Oeste, los cuales podemos identificar fácilmente.

En el patio de la escuela colócate como muestra la ilustración. Extiende los brazos de manera que el derecho señale hacia donde sale el Sol, en esta posición el Norte quedará frente a ti, a tu espalda el Sur, a tu izquierda el Oeste y a tu derecha el Este.

Estos puntos se señalan en los mapas con el símbolo llamado *rosa de los vientos*.

Norte

Oeste   Este

Sur

República Mexicana

Estados Unidos de América

Baja California

Sonora

Chihuahua

Coahuila

Baja California Sur

Sinaloa

Nuevo León

Durango

Golfo de México

Zacatecas

Tamaulipas

San Luis Potosí

Nayarit

Aguascalientes

Yucatán

Jalisco

Guanajuato

Querétaro

Hidalgo

Quintana Roo

Colima

Michoacán

Estado de México

Tlaxcala

Puebla

Campeche

Mar Caribe

Morelos

Veracruz

Tabasco

Distrito Federal

Guerrero

Oaxaca

Chiapas

Belize

Océano Pacífico

Guatemala

México es una federación porque los estados que lo integran tienen un gobierno común o gobierno federal, encargado de establecer relaciones con otros países, mantener la seguridad en nuestro territorio, construir carreteras y escuelas. El gobierno federal está representado por el presidente de la República, el Congreso de la Unión y la Suprema Corte de Justicia de la Nación. Al mismo tiempo, las entidades son libres y soberanas y cuentan con un gobierno propio, el gobierno estatal. Estas entidades se rigen, en lo general, por las leyes que contiene la Constitución Política de los Estados Unidos Mexicanos.

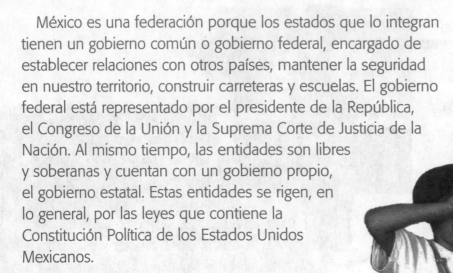

Los gobiernos estatal y federal se organizan y establecen acuerdos a fin de proporcionar servicios y proteger los derechos de los mexicanos; asimismo, para impulsar el desarrollo comercial, agrícola, ganadero e industrial de cada entidad.

Somos jaliscienses porque nacimos en esta entidad o bien tenemos varios años viviendo aquí. Al tiempo que somos jaliscienses somos mexicanos, porque Jalisco es parte de México. Compartimos con el resto de las personas que nacen en otros estados de la República Mexicana sentimientos de unión, solidaridad y pertenencia a nuestro país.

Banco de México

Al gobierno federal le corresponde emitir los billetes y monedas que usamos en México

1. ¿Cómo encontrar el tesoro?
   Este dibujo lo tomamos de un antiguo libro sobre aventuras de piratas. Para buscar y hallar el tesoro debes seguir las indicaciones que se te proporcionan. Recuerda que deberás orientarte con la rosa de los vientos y los puntos cardinales: Norte, Sur, Este y Oeste.

Con un color rojo marca la ruta que vayas siguiendo.
- Primero debes localizar y llegar a la Bahía de los Piratas.
- Una vez ahí, traza una línea punteada hacia el Este, hasta la playa que tiene palmeras. De ahí no puedes ir al Norte ni al Este porque hay arenas movedizas.
- No puedes cruzar el Lago de los Caimanes; rodéalo por la playa, dirigiéndote hacia el Sur y después marca con una línea el camino hasta llegar al volcán. Dibuja una banderita sobre él y desciende por su lado Este.
- Sigue al Norte y rodea la selva por el Oeste, donde existen grandes peligros.
- Si continúas hacia el Oeste pasarás frente a la Gruta de la Calavera.
- Marca cinco círculos pequeños en dirección Norte.
- ¡Por fin has llegado! El tesoro que encontraste es sumamente valioso. Sin él no podríamos vivir.

2. Comenta con tus compañeros qué significan para ti la Bandera, el Himno y el Escudo nacionales.

3. Investiga y dibuja alimentos y vestidos típicos de Jalisco.

4. Pregunta a tus familiares o alguna persona mayor si conoce una canción que se refiera a Jalisco.
- Pídele que te diga o cante algunos versos. Escríbelos en tu cuaderno.
- Canta esos versos con tus compañeros.
- Intercambia la letra de las canciones con tus compañeros y comienza la elaboración de un cancionero regional.

El estado de Jalisco

¿Sabes qué es un mapa? Los mapas son representaciones de un lugar sobre una superficie plana. Con ellos podemos conocer las formas y características de los continentes, los países y los estados. Además nos sirven para localizar ciudades, poblados, montañas, ríos, lagos, carreteras, caminos y algunos otros sitios.

Si observas el mapa de la página 9, notarás que nuestra entidad se localiza en el centro-oeste de la República Mexicana. Además, junto con otros estados, como Baja California, Nayarit y Chiapas, forma parte de los estados costeros del Pacífico mexicano.

Por su ubicación y la forma irregular de su territorio, Jalisco es uno de los estados del país que más vecinos tiene. Limita al Norte con Zacatecas y Aguascalientes, al Noroeste con Nayarit, en el extremo Noreste con San Luis Potosí, al Sur con Colima y Michoacán, al Este con Guanajuato y al Oeste con el océano Pacífico.

El estado de Jalisco y sus límites

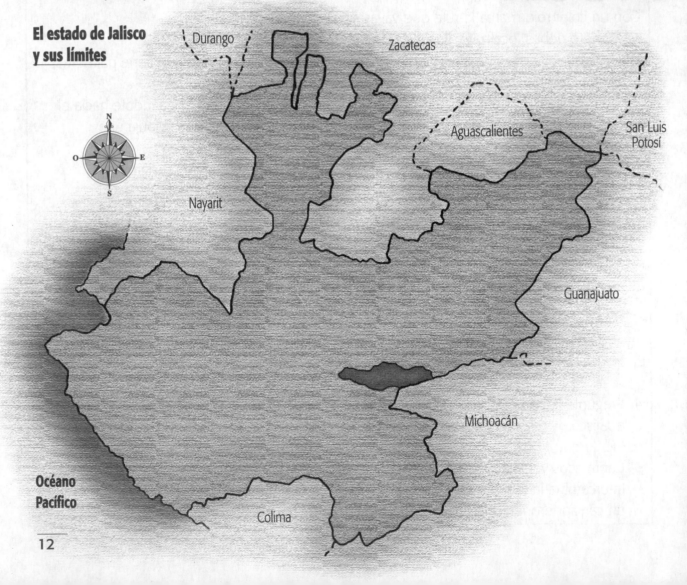

Durango
Zacatecas
Aguascalientes
San Luis Potosí
Nayarit
Guanajuato
Michoacán
Océano Pacífico
Colima

Por su tamaño, Jalisco ocupa el séptimo lugar entre las entidades que conforman la República Mexicana. Los estados que tienen una superficie mayor al nuestro son: Chihuahua, Sonora, Coahuila, Durango, Oaxaca y Tamaulipas.

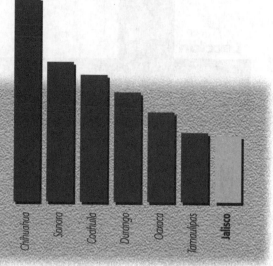

El nombre de Jalisco tiene su origen en las palabras nahuas: *xalli,* que significa arena, e *ixco,* superficie. Juntas, estas palabras quieren decir "superficie de arena".

Los indígenas representaban la palabra Jalisco con el dibujo de un ojo humano sobre un montón de arena.

Representación indígena de la palabra Jalisco

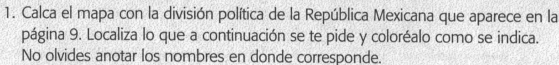

Actividades

1. Calca el mapa con la división política de la República Mexicana que aparece en la página 9. Localiza lo que a continuación se te pide y coloréalo como se indica. No olvides anotar los nombres en donde corresponde.
- Jalisco, de amarillo.
- Mares con los que limita México, de azul.
- Países vecinos que colindan con México, de verde.
- Estados que limitan al Norte con Jalisco, de rojo.
- Los que limitan al Sur y Sureste, de café.
- El estado con que colinda al Este, de naranja.
- Los del Noroeste y Noreste, de rosa.

2. De acuerdo con la gráfica que aparece en esta lección, localiza y anota en tu cuaderno:
- ¿Cuál es el estado más extenso de la República Mexicana?
- ¿Cuál de los estados más grandes es el más cercano a Jalisco?
- ¿Cuál de los estados de la costa del Golfo de México es más grande que Jalisco?

3. Con ayuda del mapa de la página 9 contesta en tu cuaderno:
- ¿Por qué Jalisco es un estado costero?
- ¿Qué estados se localizan en la costa del océano Pacífico?
- ¿Qué entidades forman la costa del Golfo de México y del mar Caribe?
- Anota el nombre de tres estados que no tengan costas.

3

Mi localidad y mi municipio

Jalisco está formado por diferentes tipos de localidades, como ciudades, pueblos, rancherías y colonias. Estas localidades se integran en municipios a fin de que sus habitantes cuenten con las condiciones indispensables para vivir con seguridad y bienestar. Por ello se dice que los municipios son la base de la organización territorial y política de un estado.

Servicios públicos

División municipal del estado de Jalisco

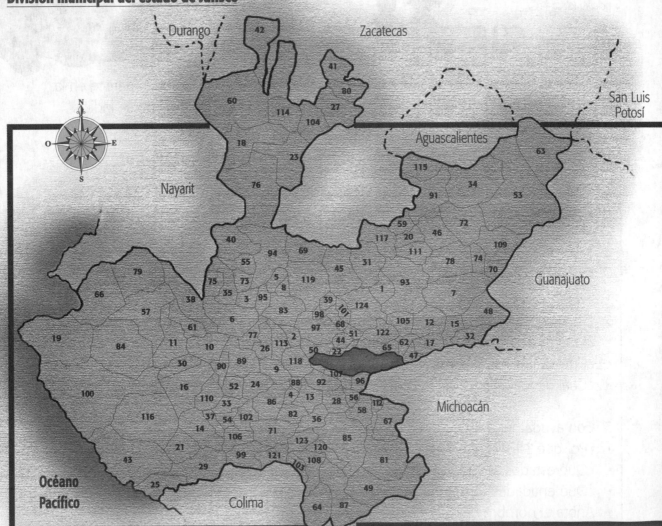

Servicios públicos

Jalisco tiene 124 municipios, que puedes observar en el mapa. ¿A cuál de ellos pertenece el lugar donde vives?

Cada municipio cuenta con un gobierno propio y en él habitan personas que tienen derechos y obligaciones.

Los municipios cuentan con una autoridad que representa a los habitantes y organiza acciones para satisfacer necesidades de la población, como vivienda, educación y atención médica.

1 Acatic	27 Colotlán	50 Jocotepec	74 San Julián	99 Tolimán
2 Acatlán de Juárez	28 Concepción de Buenos Aires	51 Juanacatlán	75 San Marcos	100 Tomatlán
3 Ahualulco de Mercado	29 Cuautitlán de García Barragán	52 Juchitlán	76 San Martín de Bolaños	101 Tonalá
4 Amacueca	30 Cuautla	53 Lagos de Moreno	77 San Martín Hidalgo	102 Tonaya
5 Amatitán	31 Cuquío	54 El Limón	78 San Miguel el Alto	103 Tonila
6 Ameca	32 Degollado	55 Magdalena	79 San Sebastián del Oeste	104 Totatiche
7 Arandas	33 Ejutla	56 La Manzanilla de la Paz	80 Santa María de los Ángeles	105 Tototlán
8 El Arenal	34 Encarnación de Díaz	57 Mascota	81 Santa María del Oro	106 Tuxcacuesco
9 Atemajac de Brizuela	35 Etzatlán	58 Mazamitla	82 Sayula	107 Tuxcueca
10 Atengo	36 Gómez Farías	59 Mexticacán	83 Tala	108 Tuxpan
11 Atenguillo	37 El Grullo	60 Mezquitic	84 Talpa de Allende	109 Unión de San Antonio
12 Atotonilco el Alto	38 Guachinango	61 Mixtlán	85 Tamazula de Gordiano	110 Unión de Tula
13 Atoyac	39 Guadalajara	62 Ocotlán	86 Tapalpa	111 Valle de Guadalupe
14 Autlán de Navarro	40 Hostotipaquillo	63 Ojuelos de Jalisco	87 Tecalitlán	112 Valle de Juárez
15 Ayotlán	41 Huejúcar	64 Píhuamo	88 Techaluta de Montenegro	113 Villa Corona
16 Ayutla	42 Huejuquilla el Alto	65 Poncitlán	89 Tecolotlán	114 Villa Guerrero
17 La Barca	43 La Huerta	66 Puerto Vallarta	90 Tenamaxtlán	115 Villa Hidalgo
18 Bolaños	44 Ixtlahuacán de los Membrillos	67 Quitupan	91 Teocaltiche	116 Villa Purificación
19 Cabo Corrientes	45 Ixtlahuacán del Río	68 El Salto	92 Teocuitatlán de Corona	117 Yahualica de González Gallo
20 Cañadas de Obregón	46 Jalostotitlán	69 San Cristóbal de la Barranca	93 Tepatitlán de Morelos	118 Zacoalco de Torres
21 Casimiro Castillo	47 Jamay	70 San Diego de Alejandría	94 Tequila	119 Zapopan
22 Chapala	48 Jesús María	71 San Gabriel	95 Teuchitlán	120 Zapotiltic
23 Chimaltitán	49 Jilotlán de los Dolores	72 San Juan de los Lagos	96 Tizapán el Alto	121 Zapotitlán de Vadillo
24 Chiquilistlán		73 San Juanito de Escobedo	97 Tlajomulco de Zúñiga	122 Zapotlán del Rey
25 Cihuatlán			98 Tlaquepaque	123 Zapotlán el Grande
26 Cocula				124 Zapotlanejo

Los servicios públicos cubren las diferentes necesidades de la comunidad

En cada municipio existe un Ayuntamiento integrado por el presidente municipal, el vicepresidente, varios regidores y un síndico. La localidad donde residen el gobierno y las oficinas del Ayuntamiento recibe el nombre de cabecera municipal. Dentro de los límites del municipio existen barrios y colonias, o localidades menores, como ranchos, ejidos u otros poblados. Las autoridades municipales se reúnen periódicamente en sesión de cabildo. En estas sesiones, discuten los problemas y las necesidades de las comunidades que pertenecen al municipio, y proponen soluciones en beneficio de las personas que ahí viven.

El presidente municipal es quien gobierna al municipio y lo representa ante el gobierno de la entidad. Además, vigila el cumplimiento de los acuerdos tomados en las sesiones de cabildo. Los regidores se encargan del funcionamiento de los servicios públicos. El vicepresidente suple al presidente municipal cuando existe la necesidad de que se ausente en cumplimiento de sus funciones. El síndico es el encargado de defender los intereses del municipio.

Los miembros del Ayuntamiento son electos, cada tres años, mediante elecciones, por los ciudadanos del municipio, es decir, las personas mayores de 18 años.

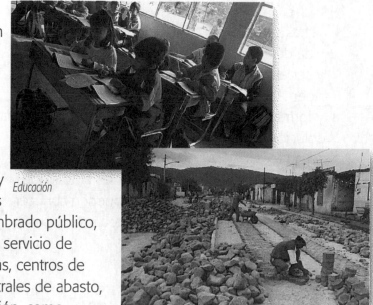

Las funciones del Ayuntamiento son varias, entre ellas están la distribución y el mantenimiento de servicios públicos a toda la población: agua potable, alumbrado público, alcantarillado, pavimentación de calles, servicio de limpia, así como la creación de escuelas, centros de salud, casas de cultura, mercados, centrales de abasto, cementerios, rastros y sitios de recreación, como parques y jardines.

Educación

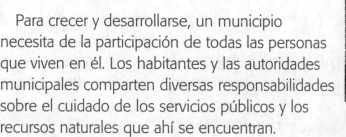

Adoquinado de calles

Entre los asuntos que atiende y resuelve el Ayuntamiento se encuentran: la expedición de reglamentos de policía y buen gobierno, en los que se presentan las normas que los ciudadanos del municipio deben cumplir, como son el pago de impuestos, la participación en elecciones, el cuidado del ambiente y el respeto a los demás.

Para crecer y desarrollarse, un municipio necesita de la participación de todas las personas que viven en él. Los habitantes y las autoridades municipales comparten diversas responsabilidades sobre el cuidado de los servicios públicos y los recursos naturales que ahí se encuentran.

Mercado municipal

Dentro del municipio, los ciudadanos pueden participar de diferentes maneras para que su funcionamiento responda a las necesidades de todos. Una forma en la que participan es con el pago de los servicios que el municipio proporciona, así como de los impuestos que deben cubrir quienes realizan actividades comerciales, profesionales y agrícolas. El dinero que se recauda permite ampliar y mejorar los servicios en el municipio.

Oficina del Registro Civil

Los ciudadanos también toman parte en la vida del municipio al ejercer su derecho a elegir y ser electos como miembros del Ayuntamiento. Además, los ciudadanos pueden integrar y formar parte de organizaciones que busquen la solución de los problemas que les afectan en su localidad. Al informarse sobre las acciones y los proyectos que propongan las autoridades del municipio, los ciudadanos pueden conocer de qué manera el Ayuntamiento cumple sus funciones.

Salud

Correos

Actividades

1. Observa el mapa y el listado de las páginas 14-15 y localiza el municipio donde vives.
- Escribe en tu cuaderno las respuestas a las siguientes preguntas: ¿con qué municipios colinda al Norte, Sur, Este y Oeste? ¿Alguno de tus familiares o amigos vive en un municipio de Jalisco distinto al tuyo?
- Traza un camino entre tu municipio y aquel en donde vive alguno de tus amigos o familiares.
- Escribe el nombre de los municipios que cruzas para visitarlos.

2. Investiga el nombre de las autoridades del municipio en que vives. Ilustra, con recortes de periódicos, las acciones que han realizado para mejorar los servicios de tu localidad.

3. Enlista los servicios públicos con que cuenta tu localidad.

4. Organiza con tus compañeros una escenificación en torno a esta historia: los vecinos de una localidad discuten sobre la construcción de un parque de juegos para los niños. Todos los terrenos están ocupados con casas y tierras para el cultivo y el ganado. Hay un lote libre y en él los vecinos tiran y queman la basura. ¿Qué pueden hacer para que se construya el parque de juegos?
- Distribuyan personajes entre los miembros del grupo: algunos representarán a las autoridades del Ayuntamiento, otros a los adultos de la localidad —campesinos, amas de casa, ganaderos— y otros a los niños. Propongan varias soluciones. Después, comenten las responsabilidades que corresponden a las autoridades municipales y a los miembros del municipio, y cómo unidos pueden solucionar problemas.

Derechos y deberes

Los niños, niñas, hombres, mujeres, ancianos y ancianas que vivimos en la localidad tenemos derechos que son iguales para todos; algunos son: el derecho a la salud, a la educación, a ser respetados, expresar nuestras ideas, vivir en un ambiente sano, así como organizarnos y participar en la solución de los problemas comunes.

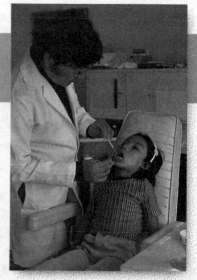

Derecho a la salud

Para asegurar una convivencia armónica, los miembros de la localidad tenemos responsabilidades que cumplir, como participar en acciones que contribuyan a la protección del ambiente, respetar a las personas y a las leyes.

Derecho a la recreación

Los derechos y responsabilidades de los mexicanos se establecen en la Constitución Política de los Estados Unidos Mexicanos, que es la ley que rige a sus ciudadanos y a todos los que vivimos en el país. También están expresados en la Constitución Política del estado de Jalisco.

Además de los derechos que poseen todos los mexicanos, los niños y las niñas tienen derechos especiales porque están creciendo y necesitan cuidados y protección. Tus padres, las autoridades y en general los adultos, comparten contigo una responsabilidad muy importante: garantizar que estos derechos sean respetados para que todos los niños y niñas se desarrollen de la mejor manera.

Estos son tus derechos

En la *Declaración de los derechos del niño* están escritos los derechos de los niños y niñas del mundo. Nuestro país se comprometió a respetarlos.

Los niños y niñas tienen los siguientes derechos:

1. Ser respetados en todos sus derechos sin importar el color de su piel, su idioma, su sexo, su nacionalidad, su religión o su posición social.
2. Recibir protección y atención para que crezcan sanos y en un ambiente de libertad y respeto.
3. Tener, desde su nacimiento, un nombre y una nacionalidad.
4. Disfrutar de alimentación, vivienda, recreo y servicios médicos adecuados.
5. Recibir tratamiento, educación y cuidados especiales si tienen un problema físico, mental o social.
6. Recibir amor y comprensión.
7. Recibir educación, jugar y divertirse.
8. Ser de los primeros en recibir protección y socorro.
9. Ser protegidos contra el abandono, la crueldad y la explotación.
10. Ser protegidos contra la discriminación y los malos tratos.

Es importante que conozcas tus derechos y aprendas a defenderlos. Al mismo tiempo, tú debes respetar estos derechos en otros niños.

Los niños como tú tienen responsabilidades en la casa, la escuela y la localidad. Por ejemplo, colaborar en los quehaceres, cuidar los muebles, materiales escolares y las plantas del lugar donde viven. Recuerda que estas responsabilidades nunca deben afectar los derechos que tienes como niño o niña.

Las personas se organizan para opinar, decidir y participar en actividades que benefician a todos y en la solución de problemas comunes. En tu localidad puede haber organizaciones culturales, deportivas, para la producción o que proporcionen diversos bienes y servicios.

Los miembros de una organización establecen normas para poder llevar a cabo sus funciones de la mejor manera; por lo que todos se comprometen a respetarlas. A través de estas organizaciones, expresan a las autoridades del Ayuntamiento sus necesidades y las de los habitantes del municipio y, a la vez, solicitan su apoyo para realizar las acciones que resuelven los problemas que les afectan.

La educación es un derecho de niños y niñas

Actividades

1. Formen equipos y pregunten a sus padres o personas mayores lo siguiente:
- ¿Qué organizaciones existen en la localidad, quiénes participan, qué hacen, cómo han beneficiado a la población?
- Pregunten a un miembro de alguna organización: ¿cuáles son las reglas y las responsabilidades que deben cumplir quienes participan en ella?
- Comenten en grupo los resultados de su investigación. Discutan la importancia de organizarse para llevar a cabo acciones que beneficien a todos y resolver problemas que les afecten.

2. ¿Qué deben hacer tus padres y las autoridades para que tus derechos sean respetados?
- Escribe lo que consideres que debe completar cada cuadro. Guíate por los ejemplos que aparecen en algunos espacios.

Derecho	Deberes de tus padres	Deberes de las autoridades	Y a ti, ¿qué te corresponde hacer?
Educación		Construir escuelas cerca de tu casa	Asistir a la escuela y estudiar
Salud	Alimentarte bien, llevarte al médico		
Nombre y nacionalidad		Ofrecer el servicio de registro civil de tu localidad	
Recreación y descanso			
Protección contra malos tratos			

El gobierno de mi entidad

Jalisco, además de tener una población y un territorio, al igual que los otros estados de la República Mexicana, cuenta con una Constitución y un gobierno propios.

En la Constitución Política de nuestra entidad se señalan los derechos y las obligaciones de todos los que vivimos en ella, las funciones de las personas encargadas del gobierno, así como las normas que regulan la convivencia y las actividades que realiza la población.

Interior del Congreso del estado

Para poder organizar acciones que beneficien a la población, así como la vida en sociedad, los habitantes de Jalisco elegimos a los hombres y a las mujeres que integran el gobierno de nuestra entidad.

El gobierno del estado se divide en tres poderes: Legislativo, Ejecutivo y Judicial. Son independientes entre sí, y las funciones de cada uno se encuentran señaladas en la Constitución Política del estado de Jalisco.

Palacio Legislativo en Guadalajara

Palacio de Justicia

El Poder Legislativo está representado por los diputados locales, a quienes nombran los ciudadanos mediante elecciones cada tres años. Ellos integran el Congreso del estado. Algunas de sus funciones son estudiar, discutir y aprobar las leyes que rigen en la entidad para asegurar una convivencia armónica entre la población. Los diputados representan a los ciudadanos ante el gobierno.

Palacio de Gobierno en Guadalajara

El Poder Ejecutivo está representado por el gobernador del estado, que es electo cada seis años mediante el voto de los ciudadanos. Su función es garantizar el cumplimiento de las leyes elaboradas en el Congreso estatal. El gobernador nombra a los secretarios que le apoyan en el desarrollo de programas de educación, salud, seguridad pública, tránsito, transporte y construcción de obras para el bienestar de la población, entre otros. También le auxilian en la organización de las actividades productivas y en la administración de los recursos con que cuenta la entidad. Estas tareas se realizan en colaboración con las autoridades municipales y federales.

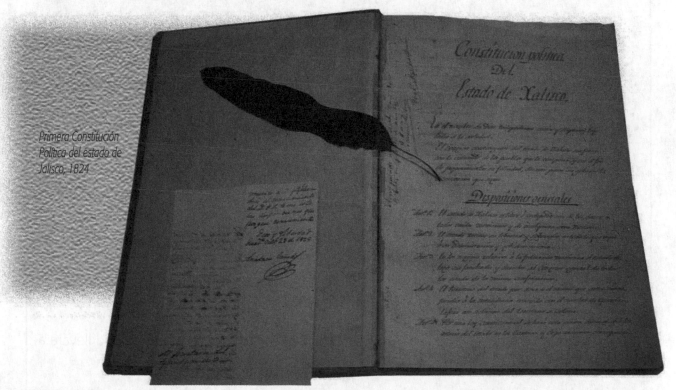

Primera Constitución Política del estado de Jalisco, 1824

El Poder Judicial lo ejercen los magistrados y jueces, quienes son los responsables de la aplicación de las leyes por conducto del Supremo Tribunal de Justicia y los juzgados. A ellos les corresponde conocer, estudiar y dictar sentencia ante actos que vayan en contra de las leyes establecidas. También vigilan que los derechos de todos los miembros de la entidad sean respetados.

Los integrantes del Congreso del estado eligen a los magistrados a partir de las personas propuestas por el Consejo General del Poder Judicial. La correcta administración de la justicia es indispensable para que haya paz y armonía en la sociedad.

Con su voto los ciudadanos eligen a sus gobernantes

Actividades

1. Forma equipos con tus compañeros. Investiguen qué obras públicas (caminos, carreteras, puentes, entre otras) se han realizado en la localidad en que vives con apoyo del gobierno del estado.
• Pregunten a algunas personas mayores si han participado en la realización de estas obras y cómo lo han hecho.
• Comenten la manera en que estas obras han beneficiado a la población.

2. Comenta con tus compañeros y tu maestra o maestro las siguientes preguntas:
• ¿Por qué es necesario que la entidad tenga un gobierno?
• ¿Qué pasaría si no hubiera personas encargadas de vigilar que se cumplan las leyes?

3. En los equipos, platiquen acerca de las actividades que realizan el gobernador, los diputados y los jueces.
• Elijan alguna de estas autoridades y elaboren una historieta que trate sobre las funciones que realizan.
• Expongan su escrito al grupo y comenten cómo les gustaría que esta autoridad llevara a cabo su trabajo.

JALISCO

2

El relieve

Al observar los alrededores de tu localidad podrás distinguir sierras, montañas, cerros, llanuras, valles y mesetas; a todas estas formas se les conoce como relieve. Identifícalas en las fotografías que aparecen en la lección.

En Jalisco se encuentran dos sistemas montañosos o conjuntos de sierras: la Sierra Madre Occidental y el Eje Neovolcánico.

Las sierras Los Huicholes, Los Guajolotes y San Isidro, el cerro Gordo y el volcán de Tequila forman parte de la Sierra Madre Occidental.

La sierra en la costa de Chamela

El Eje Neovolcánico o Eje Volcánico Transversal comprende las sierras Cacoma, Manantlán, Verde, Tapalpa y Lalo, entre otras. También sobresalen los cerros El Tigre y García y, al sur de nuestra entidad, el Nevado de Colima y el Volcán de Colima.

Sierra Madre Occidental

El Volcán de Colima

Se localiza en los límites de los estados de Jalisco y Colima, y es considerado uno de los volcanes más activos de México. Se tiene registro de sus erupciones desde el año de 1585, y en varias ocasiones ha producido también temblores; las cenizas que arroja se dispersan hasta más de 200 kilómetros a su alrededor. Cuando han ocurrido sismos, la población más dañada ha sido la de Zapotlán, hoy Ciudad Guzmán. En 1770, el volcán arrojó gran cantidad de ceniza, y un año después llovió ceniza durante tres días en Guadalajara. La actividad de este volcán, conocido también como de Fuego, ha proseguido a través de los años, en ocasiones con erupciones más explosivas y lluvia de fragmentos de rocas a alta temperatura. En la actualidad, los vulcanólogos, que son los científicos que estudian la actividad de los volcanes, han recomendado la vigilancia del Volcán de Fuego con el objeto de registrar su actividad y prevenir oportunamente a la población.

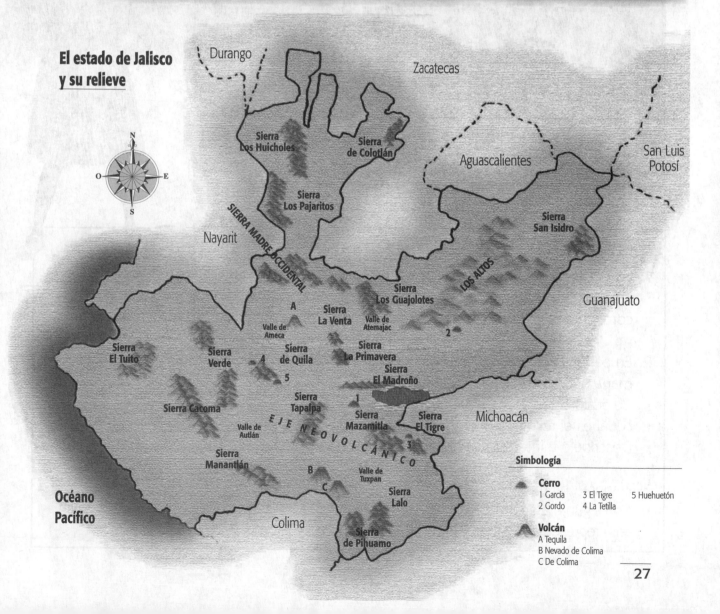

El estado de Jalisco y su relieve

Durango

Zacatecas

Aguascalientes

San Luis Potosí

Sierra Los Huicholes

Sierra de Colotlán

Sierra San Isidro

Sierra Los Pajaritos

Nayarit

SIERRA MADRE OCCIDENTAL

LOS ALTOS

Guanajuato

Sierra Los Guajolotes

A

Sierra La Venta

Valle de Atemajac

2

Valle de Ameca

Sierra El Tuito

Sierra Verde

4

Sierra de Quila

Sierra La Primavera

Sierra El Madroño

5

1

Sierra Tapalpa

Sierra Mazamitla

Sierra El Tigre

Michoacán

Sierra Cacoma

EJE NEOVOLCÁNICO

Valle de Autlán

3

Sierra Manantlán

B

Valle de Tuxpan

Océano Pacífico

C

Sierra Lalo

Colima

Sierra de Pihuamo

Simbología

Cerro
1 García   3 El Tigre   5 Huehuetón
2 Gordo   4 La Tetilla

Volcán
A Tequila
B Nevado de Colima
C De Colima

Las llanuras son grandes extensiones planas que se encuentran en las zonas costeras de nuestro estado y también en las cercanías del Lago de Chapala.

Ameca, Tuxpan, Atemajac y Autlán, entre otros, son algunos de los valles de nuestra entidad que se caracterizan por ser lugares planos ubicados entre montañas y que generalmente son atravesados por algún río.

También existen mesetas que son lugares altos y planos, como la parte noreste de nuestro estado conocida como Los Altos.

En el mapa de esta lección puedes localizar las principales formas del relieve de nuestro estado.

Volcán de Colima o de Fuego

Valle de Tamazula

Actividades

1. Consigue en periódicos, revistas y calendarios algunas fotografías del relieve.
- En equipo clasifiquen las fotografías, péguenlas en sus cuadernos y expliquen a sus compañeros los diversos relieves que identificaron.

2. En papel transparente, calca el contorno de Jalisco y del municipio donde vives, del mapa que se encuentra en la página 14.
- Colócalo sobre el mapa de relieve de esta lección.
- ¿Cuál es el relieve que predomina en tu municipio?
- Descríbelo e intercambia opiniones con tus compañeros.

3. Elabora una maqueta.
- Con algún material que consigas fácilmente, como plastilina o masa, elabora una maqueta para representar algunas formas de relieve, como sierras, mesetas, llanuras y valles.

Ríos, presas y lagunas

El relieve de Jalisco favorece la formación de arroyos, que se unen a otros para dar origen a los ríos que recorren el estado y desembocan en un lago o en el mar.

Río Verde

Entre los ríos más importantes de la entidad se encuentra el Lerma-Grande de Santiago, ya que al cruzar por la parte central de nuestro estado, sus aguas son utilizadas para efectuar actividades agrícolas e industriales. El río Lerma nace en el Estado de México y, después de pasar por los estados de Guanajuato y Michoacán, desemboca en el Lago de Chapala. Al salir de este lago y continuar su curso por Jalisco, recibe el nombre de río Grande de Santiago.

Cascada Cola de Caballo. Barranca de Oblatos

Los ríos San Juan de los Lagos y San Miguel recorren la zona de Los Altos de Jalisco antes de unirse al río Verde, el cual también reúne las aguas de otros ríos de Aguascalientes y las deposita en el Grande de Santiago.

Lago de Chapala

El río Bolaños recibe las aguas de los ríos que se originan en la sierra Los Huicholes y se une igualmente al Grande de Santiago.

El río Ameca, además de ser utilizado para regar los sembradíos, sirve como límite natural entre nuestro estado y Nayarit antes de terminar su recorrido en Bahía de Banderas, localizada en el océano Pacífico.

Playa de Mismaloya

En el sur de la entidad se localizan los ríos Atengo, Ayuquilla-Armería, Manantlán, Tuxcacuesco y Tuxpan-Naranjo; este último marca uno de los límites naturales entre Colima y el extremo sur de Jalisco.

Presa La Vega

Entre los ríos que recorren los municipios de la costa jalisciense se encuentran el Mascota, Tuito, Tecolotlán, María García, Tomatlán, San Nicolás, Cuitzmala, Purificación y Minatitlán-Cihuatlán, conocido también como Marabasco, que marca otro límite natural con Colima en la parte suroeste. Todos estos ríos se forman en las sierras El Tuito, Cacoma y Manantlán, y desembocan en el océano Pacífico.

Río Cuitzmala

Presa Las Piedras. Ejutla

En el mapa puedes observar que en el trayecto de algunos ríos se han construido presas como las de Santa Rosa, La Vega, Tacotán y Las Piedras. El agua que es almacenada en ellas se utiliza para el riego de importantes zonas agrícolas y para abastecer de este vital líquido a la población de Jalisco.

El estado de Jalisco y sus ríos, presas y lagunas

Durango

Zacatecas

Aguascalientes

San Luis Potosí

Nayarit

Río Bolaños

Río San Juan de los Lagos

Río San Miguel

Río Juchipila

Río Verde

Río Grande de Santiago

Guanajuato

Río Ameca

Río Mascota

Río Tuito

Río Tecolotlán

Río María García

Río Tomatlán

Río San Nicolás

Río Cuitzmala

Río Purificación

Río Minatitlán - Cihuatlán

Río Atengo

Río Ayuquilla - Armería

Río Tuxcacuesco

Lago de Chapala

Río Lerma

Río Tamazula

Río Grande

Río Tuxpan - Naranjo

Río Otates

Río Manantlán

Michoacán

Océano Pacífico

Colima

Simbología

Laguna

1	Atotonilco	4	Cajititlán
2	Zacoalco	5	Sayula
3	San Marcos		

Presa

A	Santa Rosa	E	Las Juntas
B	La Vega	F	Colimilla
C	Las Piedras		
D	Tacotán		

Cómo era El Salto de Juanacatlán

Un viajero del siglo XIX tuvo la fortuna de visitar la cascada de Juanacatlán cerca del pequeño pueblo de indígenas.

Este es su relato:

Cuando faltaban un poco más de cinco kilómetros para llegar a ella, un rugido como de un trueno lejano se dejó escuchar, nos íbamos aproximando y el ruido iba en aumento. De repente, al salir de un espeso matorral, ¡ah!, quedamos maravillados a la vista del imponente espectáculo que teníamos enfrente. Mucho tiempo contemplamos esta maravilla, admirados de que el inmenso caudal de aguas del gran río Lerma se precipitara a la altura de 50 metros, formando una cortina de cristal de 167 metros de ancho, y complacidos también de los mil arcoiris que se formaban con los vapores.

El Salto de Juanacatlán a finales del siglo XIX

Entre los lagos y lagunas que se forman cuando la lluvia o el agua de un río ocupan una depresión u hondonada en el terreno, están el de Chapala, que es el más grande del país, y las lagunas de San Marcos, Cajititlán, Atotonilco, Zacoalco y Sayula. ¿Conoces alguna?

El agua es indispensable para nuestra existencia porque sirve tanto para beber y asearse como para realizar casi cualquier actividad; por ello, aunque en Jalisco es abundante, debemos utilizar sólo la necesaria y evitar que se contamine.

Laguna de Atotonilco en Villa Corona

Actividades

1. Utiliza el mapa que elaboraste en la lección anterior, colócalo sobre el que aparece en esta lección y localiza:
- Los ríos, presas, lagos o lagunas que se encuentran en tu municipio o cerca de él.
- Comenta con tus compañeros cómo se aprovecha el agua que nos proveen.
- ¿Existe algún problema para aprovechar el agua en tu comunidad? ¿Cómo lo resolverías? Coméntalo con tus compañeros.

2. En la actividad "Cómo encontrar el tesoro" de la página 11, recorriste una ruta que te llevó a un tesoro muy especial, ¿cuál fue?, ¿por qué crees que es un tesoro? Comenta tus respuestas en el grupo.

8

El clima

Clima templado. Bosque La Primavera

¡Qué distintos son los días! En algunas ocasiones durante el día hace calor, frío, o bien hay viento o lluvia. A todas estas condiciones que percibimos diariamente les llamamos estado del tiempo.

Cuando estas condiciones son constantes por largos periodos, determinan lo que conocemos como clima. En el clima de un lugar también influyen la lejanía o cercanía del mar y de los ríos o lagunas, el relieve y la altitud o altura con respecto al mar.

Clima semiseco. Bolaños

El estado de Jalisco y sus climas

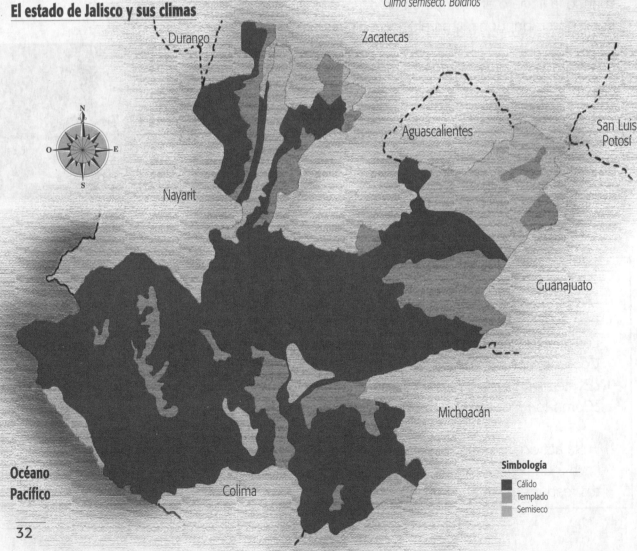

Durango

Zacatecas

Aguascalientes

San Luis Potosí

Nayarit

Guanajuato

Michoacán

Océano Pacífico

Colima

Simbología

Cálido
Templado
Semiseco

En Jalisco tenemos tres tipos de clima: cálido, templado y semiseco. Observa en el mapa de la página anterior las áreas del estado en que se localiza cada uno.

El clima cálido se caracteriza por tener altas temperaturas, aire húmedo y la presencia de lluvias en el verano. Aquí existen bosques tropicales de ceiba y de caoba y otras especies, como amate, lianas, musgos, orquídeas, rosamorada, granadillo, lináloe, cedro y algunos frutales, como limonero, cocotero y platanal.

Bosque localizado en las partes más altas del estado

El clima templado se ubica en algunas sierras y las lluvias también se producen durante el verano; sin embargo, no hace tanto calor como en el clima cálido. Entre la vegetación que se desarrolla aquí, se encuentra el pino blanco, el encino, el oyamel y el abeto, aunque en las barrancas existen algunos arbustos, helechos, plantas trepadoras, abedul y avellano; en las laderas cercanas a las costas hay casahuate blanco, palobobo, raspaviejo y nanche y, en las partes más altas, encino, ocote, escobellón y pinos, como el hoyarín, el chino y el amarillo.

Vegetación de clima semiseco. Ojuelos

El clima semiseco se caracteriza por la escasez de lluvias y el excesivo calor de algunos lugares donde existen matorrales, pastos, huizaches chinos, uñas de gato y mimbres. También hay copal, madroño, palo dulce, palo bobo y sauce y, en los lugares más secos, cactáceas, como el nopal y la biznaga.

Vegetación de clima cálido. Yelapa

Como te podrás dar cuenta, la presencia de cierto tipo de vegetación está muy relacionada con las condiciones del clima y el relieve del lugar.

Vegetación de clima templado

Actividades

1. Formen equipos. Durante una semana, cada equipo estará encargado de elaborar, en una cartulina, un cuadro para registrar las condiciones del tiempo.
- Inventen un símbolo que identifique el estado del tiempo y dibújenlo en el cuadro. Por ejemplo:

Vegetación de selva baja

		Lunes	Martes	Miércoles	Jueves	Viernes	Sábado	Domingo
Soleado								
Nublado								
Con viento								
Medio nublado								
Lluvioso								
Frío								

- Observen las variaciones entre un día y otro. Comenten:
  ¿Qué estado del tiempo predominó en la semana?
  ¿Cómo se relaciona con las actividades que se realizan?

2. Calca el mapa de la lección y colócalo sobre el de división municipal.
- Identifica tu municipio y el clima que le corresponde.

3. Observa las diferentes plantas que hay en tu localidad.
- Dibuja en una tarjeta las que más te gusten.
- Pregunta su nombre y escríbelo en la tarjeta. Intercambia tu trabajo con tus compañeros y entre todos formen un muestrario.
- Comenten cuáles son las plantas características del clima de su localidad.

Las regiones de Jalisco

Jalisco tiene una diversidad de relieve, ríos, climas, vegetación, fauna, habitantes y actividades económicas como la agricultura, la ganadería, la industria y la minería, entre otras, que hacen diferente cada parte de su territorio. Cuando estos rasgos son comunes a determinados lugares, podemos distinguirlos como regiones.

En las regiones, los elementos físicos, como los ríos, la vegetación y el relieve, forman nuestro patrimonio natural; los elementos sociales, como las actividades de la gente, su lengua y sus costumbres, constituyen nuestro patrimonio cultural.

El estado de Jalisco y sus regiones

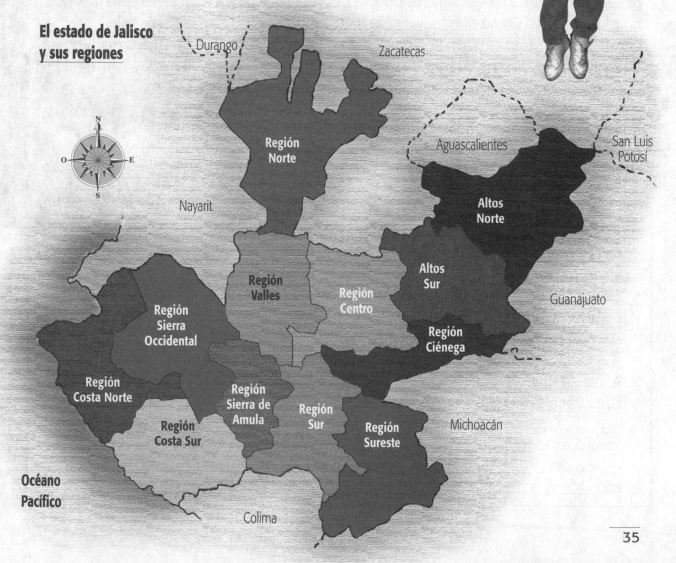

Durango
Zacatecas
Aguascalientes
San Luis Potosí
Nayarit
Región Norte
Altos Norte
Altos Sur
Región Valles
Región Centro
Guanajuato
Región Sierra Occidental
Región Ciénega
Región Costa Norte
Región Sierra de Amula
Región Sur
Región Sureste
Michoacán
Región Costa Sur
Océano Pacífico
Colima

El patrimonio natural y cultural es nuestra mayor riqueza. Nos pertenece a todos los habitantes, por lo que es necesario cuidarlo.

A su vez, los elementos físicos y sociales se relacionan estrechamente entre sí; por ejemplo, las características y los cambios en un lugar pueden ser ocasionados por la naturaleza o bien por el ser humano, al aprovechar los recursos de la zona.

Así, la formación de lagos y lagunas se debe principalmente al relieve, que permite que en las depresiones se acumule el agua de la lluvia, donde es posible que se desarrollen algunos peces. La presencia de lagos y lagunas y la existencia de peces favoreció, desde tiempos remotos, que la gente buscara vivir en sus alrededores para aprovechar el agua en sus actividades diarias y tener alimento. Por eso podemos observar algunas localidades cerca de los lagos. Sin embargo, el rápido crecimiento de la población ha provocado la contaminación, la disminución de peces y, en algunos casos, ya no es posible dedicarse a la pesca ni utilizar el agua. Como puedes ver, si el medio físico se transforma, cambian también las actividades de los habitantes.

Las regiones comprenden municipios completos, lo cual facilita al gobierno la planeación del crecimiento de las localidades y la dotación de los servicios públicos que necesitamos, como la construcción de carreteras y la distribución de agua potable.

Sí observas el mapa de la lección, te darás cuenta que en nuestra entidad existen 12 regiones:

Región Norte
Región Altos Norte
Región Altos Sur
Región Ciénega
Región Sureste
Región Sur
Región Sierra de Amula
Región Costa Sur
Región Costa Norte
Región Sierra Occidental
Región Valles
Región Centro

Actividades

1. Calca en un papel transparente el contorno del mapa del estado y sus regiones de esta lección.
- Colócalo sobre el de división municipal de las páginas 14-15.
- Localiza el municipio donde vives.
  ¿En qué región se encuentra tu municipio?

2. Anota en tu cuaderno los siguientes enunciados. Para completar lo que falta puedes consultar los mapas de las páginas 14-15 y 35.

Yo vivo en el municipio de_____ que pertenece a la región_____ del estado de _____. Mi región limita al Norte con_____; al Sur con_____; al Este con_____, y al Oeste con_____.

Región Norte

Actividad minera

Esta región se ubica en el norte de nuestra entidad, donde el relieve está formado por diversas sierras, como las de Pajaritos y Colotlán, entre otras. Comprende los municipios de Bolaños, Colotlán, Chimaltitán, Huejúcar, Huejuquilla el Alto, Mezquitic, San Martín de Bolaños, Santa María de los Ángeles, Totatiche y Villa Guerrero. En algunos de ellos se localizan las comunidades de los huicholes.

Aquí se desarrollan principalmente matorrales de xirixi, bosques de hucu-té, de tuaxá, de pino y de encino, así como de huizache, casahuate y nopaleras.

Entre la fauna existen las siguientes especies: lobo, coyote, gato montés, tejón, zorra, venado, águila real, paloma y algunos tipos de serpientes.

Por el relieve, su clima templado y el tipo de vegetación, en esta región una actividad importante es la explotación forestal, de la que se obtiene madera de especies como el pino y el encino; destacan por su producción los municipios de Mezquitic, Colotlán y Totatiche.

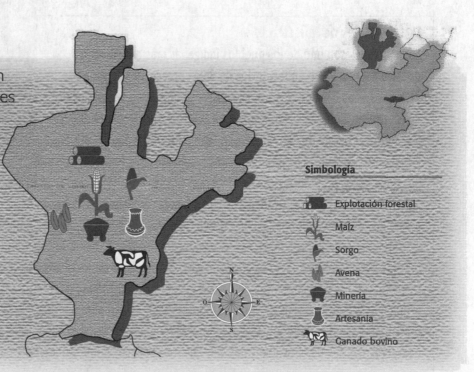

Simbología

- Explotación forestal
- Maíz
- Sorgo
- Avena
- Minería
- Artesanía
- Ganado bovino

La minería ha sido una de las actividades sobresalientes por la producción de oro, plata, plomo y cobre, sobre todo en los municipios de Bolaños y San Martín de Bolaños. Actualmente la explotación de estos metales ha disminuido.

También se desarrolla la agricultura con productos como maíz, frijol, avena y sorgo forrajeros; y la cría de ganado bovino (vacas), porcino (cerdos), ovino (ovejas) y caprino (cabras), y en menor cantidad de aves de corral y abejas.

La elaboración de artesanías de piel combinada con fibra de pita recibe el nombre de piteado; esta técnica sirve para adornar cintos, bolsas, carteras, sillas para montar, fundas para armas y otros objetos.

Artesanía con la técnica del piteado

Casa antigua en Bolaños

Los huicholes de Jalisco

Los huicholes son uno de los pueblos indígenas más antiguos de nuestro estado. Viven en territorios de difícil acceso en la zona norte de Jalisco y también en Nayarit. En Jalisco, se ubican en los municipios de Mezquitic, Bolaños y Huejuquilla, en cuatro grandes comunidades: San Andrés Cohamiata, San Sebastián Teponahuaxtlán, Santa Catarina y Tuxpan de Bolaños. Los pueblos dispersos en la sierra se caracterizan por tener casas de piedra y zacate . Hay muy pocas viviendas agrupadas en pueblos con calles. Las comunidades mencionadas son más bien centros ceremoniales, lugares de reunión para sus actividades comerciales. Los huicholes son respetuosos del gobierno mexicano y obedecen sus leyes; de acuerdo con su tradición, mantienen sus propias leyes y formas de gobierno. Para ellos es muy importante la influencia de los ancianos, a quienes respetan por los conocimientos que guardan sobre sus costumbres y tradiciones. Actualmente enfrentan problemas por la posesión de sus tierras y la falta de apoyo para mejorar sus actividades económicas, principalmente la ganadería y la agricultura. Mantienen, en general, sus formas tradicionales de vestir. Sin embargo, algunos de ellos han cambiado sus ropas y usan sombrero tejano y tenis.

1. ¿Qué sabes de las tradiciones de los huicholes?

• Observa con cuidado las fotografías de esta lección y describe su indumentaria.

• Pregunta a una persona mayor si sabe de alguna celebración de los huicholes y escribe en tu cuaderno:

¿Cuándo se realiza?, ¿qué se festeja?, ¿quiénes participan?

Elabora un dibujo de esta fiesta.

2. Elige alguno de los motivos que aparecen en la fotografía del mural, hazlo más grande sobre un recuadro de cartón, llénalo de pegamento y cúbrelo con estambres de colores. Pégale un ganchito para colgar. Ahora tienes un bello adorno huichol.

Ceremonia cívica en comunidad huichol

Celebración tradicional

Mural Pensamiento y alma huichol, *de Santos de la Torre*

Lección 11

Los Altos de Jalisco

Rodeada por los vecinos estados de Guanajuato, Aguascalientes y Zacatecas, hacia el noreste de la entidad se ubica la parte del territorio de Jalisco que conocemos como Los Altos. Se le llama así por ser una extensa meseta, es decir, llanos planos y elevados, en la que se encuentran también algunos lomeríos, pequeñas quebradas y serranías de poca elevación, como la de San Isidro.

Basílica de San Juan de los Lagos

Por la escasez de lluvia durante la mayor parte del año, la vegetación más abundante está compuesta de matorrales, pastizales, magueyes cenizos, huizaches, uñas de gato, nopales de tunas cardonas y biznagas, entre otros. En las partes altas de estas regiones se localizan algunos bosques de pino y encino. En tiempo de lluvias, los suelos se cubren de pasto que los alteños utilizan para alimentar al ganado.

Puente sobre el río Verde

Simbología

- Industria
- Maíz
- Ganado bovino
- Aves de corral
- Agave
- Artesanía
- Ganado ovino
- Avena
- Alfalfa
- Ganado porcino
- Vestido

40

El agua, tanto de las lluvias como de los ríos, es escasa y por eso se almacena en presas y bordos, para que los alteños la aprovechen en dos de sus principales actividades: la agricultura y la ganadería.

Se cultiva maíz, frijol, trigo, alfalfa, sorgo, avena, chile y agave; se cría ganado bovino, porcino, ovino y caprino, así como aves de corral y abejas.

Aun cuando en Los Altos se tienen características geográficas, recursos económicos y actividades muy semejantes, se divide en dos regiones: Altos Norte y Altos Sur.

Los Altos Norte abarca los municipios de Ojuelos de Jalisco, Lagos de Moreno, Encarnación de Díaz, Villa Hidalgo, Teocaltiche, San Juan de los Lagos, Unión de San Antonio y San Diego de Alejandría.

El clima predominante en esta región es el semiseco, aunque en las partes más altas se presentan algunas heladas durante el invierno, como en el municipio de Ojuelos.

Gabán de lana y escobetilla con mango de hueso. Artesanía de Los Altos

Labores de deshilado

Pastizales

Recolección de tunas

Apicultura

Pasteurizadora de leche

En la región Altos Sur quedan comprendidos los municipios de Mexticacán, Jalostotitlán, San Julián, Yahualica de González Gallo, Cañadas de Obregón, Valle de Guadalupe, San Miguel el Alto, Arandas, Jesús María, Acatic y Tepatitlán de Morelos. Esta región se caracteriza por tener dos tipos de clima: el cálido y el templado.

Lagos de Moreno

En la región Altos Norte se localizan fábricas de ropa, de prendas de vestir tejidas, de sarapes y gabanes finos, muebles, artículos metálicos, calzado, dulces y mermeladas, zapatos tenis y otras más. Cuenta también con talleres de artesanías en los que se trabajan los vitrales emplomados, los muebles de madera con incrustaciones de hueso, los hilados y deshilados.

En el municipio de San Juan de los Lagos se encuentra el famoso santuario religioso al que acuden cientos de miles de visitantes, provenientes de otros estados del país y de diferentes ciudades del extranjero.

En la región Altos Sur se desarrolla la industria del vestido; se elaboran prendas de vestir, bordados, deshilados y tejidos que hace muchos años se hacían a mano y ahora se producen en fábricas.

Industria del vestido

Granja avícola

Rancho alteño

En la región, además, hay fábricas de tequila, calzado, muebles, empacadoras de alimentos, embotelladoras de refrescos y algunos talleres de artesanías, como las de cerámica y las de madera con hueso incrustado.

En Los Altos son muchos los ranchos, granjas y establos donde se cría el ganado bovino, y se ha desarrollado una importante industria de la leche y productos derivados. Por su producción de ganado porcino y de aves de corral, Los Altos surten de carne de puerco, pollo y huevo a otras entidades del país.

Dulces de la región

Actividades

1. Construye un rancho alteño.
- Consigue cajas de cartón, piedritas, pequeños trozos de madera, ramas secas, plastilina o cualquier otro material.
- Toma en cuenta que debes colocar sitios cubiertos para proteger a los animales; corrales para que puedan pastar y beber agua; un lugar para la ordeña; otro sitio para apartar las crías, y uno más para guardar la pastura.
- Puedes completarlo con pequeños animales de plástico o plastilina, o los que tengas.
- Presenta tu trabajo a los compañeros y explica las actividades que ahí se realizan.

2. ¿De los Altos Norte o de los Altos Sur?
- Copia la siguiente lista de municipios en una hoja de tu cuaderno. En la línea colocada antes de cada nombre escribe la letra N o S, según corresponda a la región Altos Norte o región Altos Sur.

_____ Lagos de Moreno	_____ Tepatitlán	_____ Teocaltiche
_____ Jesús María	_____ Arandas	_____ Villa Hidalgo
_____ Mexticacán	_____ Encarnación de Díaz	_____ San Julián

3. ¿Conoces alguna canción que describa la región o alguno de sus municipios? Pídele a algún familiar que te ayude.
- Comparte la canción con tus compañeros.
- Inclúyela en tu cancionero.

12

Región Ciénega

Habitantes de Chapala

Localizada en la parte central del estado, la región Ciénega se caracteriza por tener un clima cálido con lluvias durante el verano. Está formada principalmente por los municipios que se localizan en las riberas del Lago de Chapala, como Tizapán el Alto, Ocotlán, Poncitlán, Jamay, Chapala, Jocotepec y Tuxcueca. Otros municipios de la región son La Barca, Degollado, Ayotlán, Tototlán, Atotonilco el Alto y Zapotlán del Rey.

A esta región se le conoce como Ciénega porque antiguamente, al desbordarse las aguas del Lago de Chapala, se formaban extensas áreas lodosas o pantanosas que aumentaban la fertilidad de las tierras de cultivo. Hoy las cosas han cambiado, el Lago de Chapala ya no posee la misma cantidad de agua que hace algunas décadas y además el ambiente de este importante patrimonio natural de los mexicanos se ha seguido dañando. De la Ciénega sólo perdura su nombre.

Atotonilco

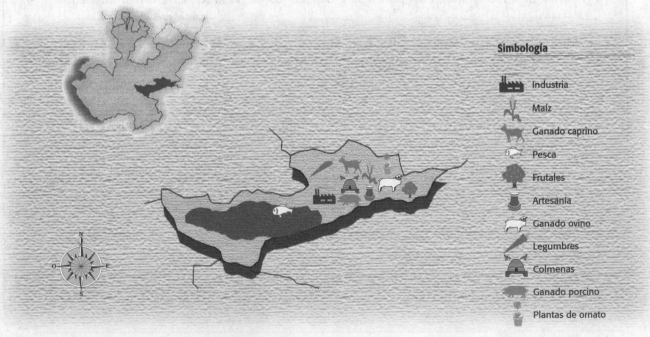

Simbología

- Industria
- Maíz
- Ganado caprino
- Pesca
- Frutales
- Artesanía
- Ganado ovino
- Legumbres
- Colmenas
- Ganado porcino
- Plantas de ornato

Chapala, el lago más grande de México

Su nombre proviene de la lengua náhuatl y significa "gran cantidad de agua". Por eso, desde hace muchos años, se le conoció como el *mar Chapálico*, y lo parecía, pues llegó a medir más de 80 kilómetros de largo y 34 en su parte más ancha. En ese entonces, por sus aguas transitaban grandes canoas e incluso barcos de vapor, que transportaban a las personas y mercancías hasta Ocotlán, donde pasajeros y carga seguían su viaje por tierra hacia Guadalajara. El lago ha sufrido lamentables cambios. Prolongados años de sequía y la extracción de agua para uso de las poblaciones de ciudades y pueblos redujeron su volumen. A esto se ha sumado un grave problema: la contaminación y el crecimiento de maleza en las orillas. Otro factor que influye en la pérdida de agua es que en las sierras y los cerros cercanos se abusó de la tala de árboles, lo que erosionó el suelo; por eso, las aguas de las lluvias, sin nada que las detenga, arrastran hacia el lago lodo y basura. Además, la corriente del río Lerma, en su trayecto por varios estados, recoge en su caudal desperdicios de las zonas industriales. Todo esto daña al lago, a los peces y a otras especies animales que antes poblaban en gran cantidad el Lago de Chapala. Todos los mexicanos, principalmente los jaliscienses, debemos unirnos para salvar a nuestro lago.

• ¿Qué pueden hacer tú, tus familiares y compañeros?

Lago de Chapala en el siglo XIX

Chapala durante una de su peores sequías, en 1990

Las tierras de esta región son en su mayoría de buena calidad y favorecen el desarrollo de cultivos, como el maíz, el trigo, el sorgo, el garbanzo, diversas legumbres y el agave, que son la base de la producción agrícola de la Ciénega; también existen grandes huertas en donde se cultivan duraznos, membrillos, aguacates, naranjos y limeros.

Destaca además el cultivo de plantas de ornato y especies frutales en invernaderos, las cuales son luego vendidas en diferentes partes de México.

En la ganadería sobresale la cría de ganado caprino, ovino, porcino. Además se crían aves de corral. El desarrollo de esta actividad ha favorecido el establecimiento de empacadoras de carnes frías e industrias para procesar la leche. También es importante la producción de miel.

La pesca se mantiene como una actividad importante para los habitantes de los municipios de las riberas del Lago de Chapala, aunque ha disminuido la cantidad de especies capturadas. Algunas de las principales variedades de peces que aún se obtienen son bagre, carpa, tilapia y charal blanco.

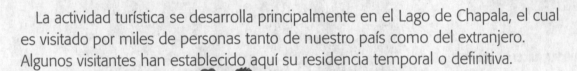

Cultivo de naranja

Plantas de ornato

En esta región se ha impulsado la actividad industrial, sobre todo en los municipios de Atotonilco el Alto, Tototlán, Poncitlán y Ocotlán, en los cuales existen fábricas de tequila, muebles, ropa, medicamentos, dulces, calzado, productos textiles, como hilos y telas, molinos de trigo y empacadoras de frambuesa y fresa.

Entre las artesanías se elaboran artículos de madera, cantera, barro y piel, así como tapetes y sarapes.

La actividad turística se desarrolla principalmente en el Lago de Chapala, el cual es visitado por miles de personas tanto de nuestro país como del extranjero. Algunos visitantes han establecido aquí su residencia temporal o definitiva.

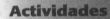

Actividades

1. Consigue la letra de la canción *Chapala* de Pepe Guízar. Anótala en tu cancionero regional, subraya los municipios que ahí se mencionan y localízalos en el mapa de los municipios.

2. Observa las fotografías de esta lección y comenta en el grupo:
¿Cómo era el Lago de Chapala en el siglo XIX?
¿Qué cambios observas?

3. Pregunta a alguna persona mayor de tu familia o del lugar donde vives cómo era el Lago de Chapala cuando ellos tenían tu edad.
• Escribe en tu cuaderno un relato con lo que te platiquen.
• Completa el relato con lo que observaste en las fotografías de esta lección.
• Ilústralo con dibujos o recortes.

4. Comenta con tus compañeros qué se podría hacer para proteger y rescatar al Lago de Chapala.
• Escriban mensajes. Denlos a conocer a otros grupos y a familiares y vecinos.
• Realicen un periódico mural en la escuela en el que muestren sus relatos y sus mensajes sobre Chapala.

13

Región Sureste

Casona de Mazamitla

Como su nombre lo indica, esta región se localiza en el sureste de nuestra entidad, por lo que colinda con los estados de Colima y Michoacán. En general su relieve es montañoso, ya que existen sierras como El Tigre, Mazamitla y Pihuamo, aunque también hay amplias llanuras, extensas mesetas y algunas cañadas.

Esta región comprende los municipios de Concepción de Buenos Aires, La Manzanilla de la Paz, Tamazula de Gordiano, Mazamitla, Valle de Juárez, Quitupan, Santa María del Oro, Jilotlán de los Dolores, Tecalitlán y Pihuamo.

Panorámica de Pihuamo

Los climas que aquí se localizan son el cálido y el templado, con lluvias en el verano que alimentan los ríos Tamazula, Los Otates, Tuxpan-Naranjo y Grande, los más importantes de la región.

La vegetación está formada por pino, avellano, encino, laurel, abedul, ocote escobón, palo serrano y diversos helechos y plantas trepadoras.

Simbología

Explotación forestal

Maíz

Cebada

Colmenas

Minería

Ganado bovino

Se caracteriza por ser una región con grandes recursos maderables y mineros.

De sus bosques de pino se aprovecha la madera y la resina; esta última se industrializa para fabricar diferentes sustancias, como el aceite de pino. En la minería se extrae mármol, cuarzo, barita y fierro.

Para obtener la resina se hace un canal en el tronco de los pinos, de modo que ésta escurra, poco a poco, hasta un colector que se coloca al final del canal.

Otra de las actividades que se realiza es la agricultura, cuyos principales cultivos son: maíz, caña de azúcar, garbanzo, cebada y sorgo.

En cuanto a la ganadería, hay ganado bovino y porcino, a pesar de que el relieve no favorece el crecimiento de los pastizales que sirven de alimento a las vacas.

Industria azucarera en Tamazula

Actividades

1. Escribe en tu cuaderno el siguiente párrafo y complétalo con los nombres de los municipios que hacen falta. Guíate con el mapa de los municipios de las páginas 14-15.

   La región Sureste comprende los municipios de Concepción de Buenos Aires, Jilotlán de los Dolores, _____, La Manzanilla de la Paz, _____, Pihuamo, _____, Tamazula de Gordiano, _____ y Valle de Juárez.

2. Forma una colección de minerales.
- Consigue trozos de mármol, cuarzo, cantera y algunos otros.
- Pégalos sobre un cartón y escribe sus nombres.
- Comenta cómo se aprovechan.

Región Sur

Tapalpa

La región Sur de nuestra entidad limita con el estado de Colima. Comprende los municipios de Amacueca, Atemajac de Brizuela, Atoyac, Gómez Farías, San Gabriel, Sayula, Tapalpa, Techaluta de Montenegro, Teocuitatlán de Corona, Tolimán, Tonila, Tuxpan, Zacoalco de Torres, Zapotiltic, Zapotlán el Grande y Zapotitlán de Vadillo.

El relieve es variado y se encuentran amplios valles, llanuras, el Nevado de Colima y el Volcán de Colima o de Fuego, en los límites entre Jalisco y Colima. En gran parte el Nevado de Colima está cubierto por bosques de pinos y constituye un sitio de atractivo turístico, pues sus paisajes son agradables para quienes practican el deporte del alpinismo.

Kiosco de Ciudad Guzmán

Entre las especies animales de la región destacan: jaguar, puma, tigrillo, gato montés, venado, conejo, liebre, perdiz, codorniz, aguililla y gavilán.

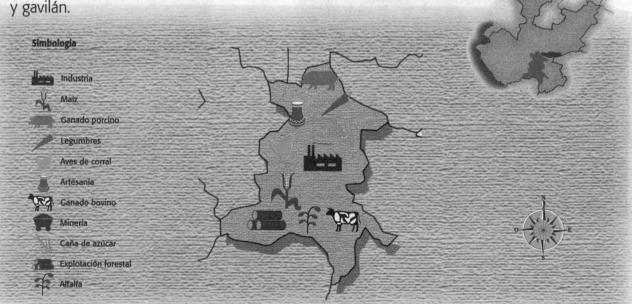

Simbología

Industria

Maíz

Ganado porcino

Legumbres

Aves de corral

Artesanía

Ganado bovino

Minería

Caña de azúcar

Explotación forestal

Alfalfa

En los valles de Sayula, Zacoalco, Zapotlán el Grande y Tuxpan, hay condiciones de relieve, clima y agua favorables para la agricultura. Los cultivos más importantes son: maíz, caña de azúcar, sorgo, alfalfa, frijol, jitomate, garbanzo y chile, entre otros.

La ganadería es una actividad económica que beneficia a la población por su alta producción de ganado vacuno y la existencia de granjas porcícolas y avícolas.

Las zonas boscosas de esta región abastecen de materia prima a las industrias madereras y del papel. Precisamente, en el municipio de Tuxpan, en la población de Atenquique, se localiza una gran fábrica de papel.

Existen grupos de personas preocupadas por la conservación del ambiente, que recomiendan la búsqueda de otras opciones, con objeto de frenar la tala excesiva de los bosques que se hace para la industria papelera. Por ejemplo, reciclar papel, es decir, volver a procesarlo para usarlo otra vez y así disminuir el corte de árboles.

Antigua fábrica de papel. Tapalpa

Corte de caña

Salto del Nogal. Tapalpa

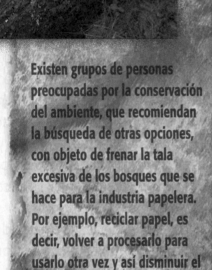

En la minería se explotan los yacimientos de piedra caliza, principalmente en Zapotiltic, donde hay fábricas que producen cal y cemento, indispensables para la construcción de casas y edificios. Otros minerales de la región Sur son el yeso, el mármol, el caolín y la magnesita.

Las actividades comerciales e industriales se relacionan con la producción de madera, la industrialización de productos lácteos, pasteurizadoras de leche, destiladoras de tequila y mezcal, fábricas de harina de alfalfa, empacadoras de jitomate y de carnes frías, elaboración de dulces y conservas.

La pitaya es un fruto de cactus típicamente jalisciense. Sus colores van desde el blanco, el carmesí, solferino y rojo hasta el guinda encendido. Sea cual sea el color, su sabor fresco y dulce es una delicia en los meses de mayor calor, única temporada en que puede disfrutarse.

También se fabrican artículos como carrocerías para camiones, ladrillos, mosaicos y bloques de cemento, muebles para el hogar, bolsas y artículos de plástico, herramientas agrícolas, velas, veladoras y prendas de vestir.

Las artesanías gozan de fama y aceptación, entre ellas los equipales de cuero, las figuras de cantera, los cuchillos con mango de hueso, los huaraches tejidos, petates y canastos de tule y carrizo, y desde luego los gustados dulces elaborados con nuez, que se producen en varios lugares de la región Sur.

Elaboración de quesos

Cuchillo con mango de hueso

Plaza de Techaluta

Jaguar

Venado

Codorniz

Perdiz

Ladrillera

Elaboración de equipales

Actividades

1. Escribe en tu cuaderno el siguiente ejercicio, encerrando en un recuadro los elementos que correspondan a la región Sur.

• Algunos de los municipios de la región Sur.

a) Amacueca   b) Tuxpan   c) El Grullo   d) Sayula

• El relieve de la región Sur incluye:

a) acantilados   b) valles   c) llanuras   d) montañas

• Los principales productos agrícolas son:

a) maíz   b) caña de azúcar   c) garbanzo   d) algodón

• Industrias de la región Sur:

a) fábricas de cal y cemento   b) fábricas de aparatos eléctricos
c) fábricas de automóviles   d) fábricas de muebles
e) fábricas de papel   f) pasteurizadoras de leche

Lección 15

Región Sierra de Amula

El Grullo

Esta región comprende los municipios de Atengo, Chiquilistlán, El Grullo, El Limón, Tecolotlán, Tenamaxtlán, Unión de Tula, Ejutla, Juchitlán, Tonaya y Tuxcacuesco.

En el relieve predominan las zonas de sierra que pertenecen al Eje Volcánico Transversal que, en algunos sitios, recibe nombres locales, como Sierra de Quila, en el municipio de Tecolotlán, y Sierra de Tapalpa en una parte del municipio de Tonaya. Su clima es cálido con lluvias en verano.

Tonaya

Su vegetación es muy variada, ya que abundan bosques con especies de encino, pino y oyamel; en las partes bajas de la sierra hay matorrales, huizaches, nopales, pitayos, nogales y pastizales.

En cuanto a la fauna, en algunos lugares de la región habitan venados, jabalíes, pumas, coyotes, armadillos, ardillas, zorrillos, liebres, conejos, y aves como palomas, gavilanes, codornices y huilotas.

Simbología

- Industria
- Maíz
- Frutales
- Arroz
- Colmenas
- Artesanía
- Ganado bovino
- Minería
- Alfalfa

Pitayo

53

Los principales cultivos agrícolas son: maíz, garbanzo, arroz, sorgo, frijol, alfalfa, chícharo y árboles frutales, como membrillo, tejocote, perón y durazno.

Puma

En la ganadería se cría ganado bovino y porcino. Las granjas agrícolas están dedicadas a la crianza y el aprovechamiento de aves domésticas. Además se cuidan colmenas para la producción de miel.

Codorniz

Hay industrias relacionadas con la producción agrícola como las siguientes: fábricas de mezcal, de productos de cacahuate, empacadoras de hojas de maíz y melón, trapiches para producir piloncillo y miel de caña, además de fábricas de alimento para ganado y de productos lácteos.

La producción maderera se realiza en aserraderos de Chiquilistlán y El Limón. En la minería se extrae barita, caliza y yeso. También se fabrican muebles, prendas de vestir, jabones, detergentes, zapatos tenis, huaraches y ladrillos.

Coyote

Ganadería

Actividades

1. Haz una maqueta en la que representes un bosque. Puedes emplear una tabla o base de cartón, con plastilina, trozos de madera, papel de colores, piedritas y otros materiales.
• Comenta en tu grupo la importancia de cuidar los bosques y los daños que se ocasionan cuando los árboles son derrumbados o quemados en gran cantidad para aprovecharlos en otras actividades.

2. En tu cuaderno copia la lista de estos municipios y tacha con rojo los que no correspondan a la región.

Atengo	Ejutla	Autlán
Tenamaxtlán	Tecolotlán	La Barca
Cocula	Tonaya	El Grullo
Tuxcacuesco	Mascota	Chiquilistlán

Región Costa Sur

Se ubica en la parte suroeste de nuestra entidad y comprende los municipios de Autlán de Navarro, Casimiro Castillo, Cuautitlán de García Barragán, Villa Purificación, Cihuatlán y La Huerta.

Barra de Navidad, municipio de Cihuatlán

Por su clima y relieve, la región es muy rica en vegetación, con especies como: hoyarín, pino chino, pochote, tepame, raspaviejo, nanche y palo dulce. Entre la fauna pueden verse al mapache, gato montés, lobo, jaguar y tigrillo.

Como el clima de la región es cálido, con lluvias abundantes y ríos que tienen agua todo el año, los suelos resultan adecuados para la agricultura, principalmente en los valles de Autlán y Cihuatlán.

Cihuatlán

Entre los cultivos agrícolas destacan los siguientes: maíz, caña de azúcar, frijol, chile, jitomate, mango, melón, sandía, coco y plátano. También se cría ganado bovino, porcino y caprino; aves de corral y abejas para la obtención de miel.

Simbología

- Turismo
- Caña de azúcar
- Frutales
- Explotación forestal
- Ganado caprino
- Maíz
- Industria
- Minería
- Ganado porcino
- Pesca

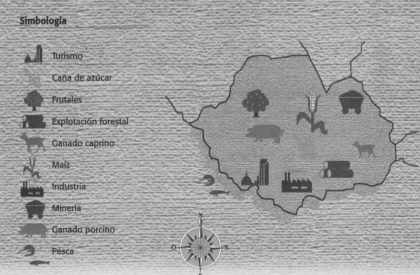

Mango

Chile

Coco

En la región hay dos tipos de pesca: la costera, que permite extraer del mar diferentes especies de peces y mariscos, y la que se lleva a cabo en los esteros, principalmente en el municipio de Cihuatlán, donde se obtiene ostión, langostino y camarón.

La minería es otra de las actividades importantes. Se extraen granito, yeso, cobre, plata y piedra caliza. La región cuenta con algunas zonas forestales, que permiten el aprovechamiento de especies como pino, encino, oyamel y maderas tropicales.

La industria azucarera destaca por la producción de los ingenios de Autlán de Navarro y Casimiro Castillo; asimismo, existen fábricas de fertilizantes, de alimentos procesados, de ropa y empacadoras de fruta. Esta última industria hace envíos a distintos lugares del país y del extranjero.

Los esteros se originan cuando el agua del mar penetra a la tierra y forma lagunas costeras.

La actividad turística se desarrolla en los municipios de La Huerta y Cihuatlán, ya que cuentan con playas y lugares de descanso, como Melaque y Barra de Navidad que atraen a numerosos visitantes, así como Chamela, donde se protege a la naturaleza.

Pesca costera

Cultivo de maíz

Tigrillo

Mapache

Actividades

1. En una tabla o cartón, utilizando plastilina de colores, masa de maíz pintada, recortes de papel de colores y otros materiales, elabora un paisaje costero en donde se puedan apreciar algunas de las actividades económicas de la región, ya sean agrícolas, ganaderas, pesqueras o turísticas.

2. Junto con tus compañeros realiza una campaña sobre las acciones y los cuidados necesarios para mantener limpias las playas y las aguas del mar.

17

Región Costa Norte

Esta región se localiza en el este de nuestra entidad, en el límite con el océano Pacífico. Aquí el relieve está formado por una parte de la Sierra Madre Occidental, algunos valles, llanuras y las playas. Abarca los municipios de Puerto Vallarta, Cabo Corrientes y Tomatlán.

Puerto Vallarta

Actividad turística

Sus climas son el templado y el cálido y su vegetación es muy abundante. En las partes altas de la sierra existen bosques de pino y encino, donde habitan conejos, zorras, zorrillos, coyotes y venados cola blanca; las partes bajas de la sierrra están cubiertas por selva, con árboles de maderas preciosas como la caoba y el cedro, que son aprovechadas en la fabricación de muebles finos; la fauna está formada por especies como la onza, el puma, el jaguar, el caimán y la iguana. En cuanto a las aves, existen gavilanes, aguilillas, urracas, pájaros carpinteros y pericos, entre otros. En los valles abundan los cocoteros y platanares, y los manglares en el litoral.

Playa Conchas Chinas. Puerto Vallarta

La agricultura se realiza principalmente en los valles, donde se cultiva maíz, frijol, arroz, tabaco, ajonjolí, sorgo y especies frutales, como el mango, la sandía, la piña y los almendros.

Simbología

Turismo

Frutales

Ajonjolí

Tabaco

Minería

Ganado bovino

Pesca

La ganadería de esta región incluye la cría de ganado bovino, porcino, ovino y caprino.

En esta región se extraen minerales, como el granito y la sal de las salinas de Tomatlán.

Iguana

Urraca

La pesca es una actividad que cada vez cobra mayor importancia, ya que se capturan especies como camarón, cazón, guachinango, langosta, lisa, ostión, pargo, robalo, sierra y pulpo.

Como podrás darte cuenta, se trata de una región que tiene variados recursos naturales, entre los que hay que incluir el mar y sus paisajes llenos de belleza, que favorecen la actividad turística; los visitantes vienen de otros estados del país y el extranjero a disfrutar el clima, las playas, los servicios de hotelería y centros de diversión que se han desarrollado, principalmente en Puerto Vallarta.

Halcón

Variedad de especies del mar

Barco camaronero

Actividades

1. Construye un diorama.
- Consigue una caja de cartón y pinta o cubre el fondo con papel azul.
- Dibuja y recorta peces, otros animales y plantas marinas.
- Acomódalos como si estuvieran en el mar. Puedes agregar pequeñas piedras, conchas y caracoles.
- Cubre el frente con papel transparente.
- Presenta tu trabajo a tus compañeros y comenten los beneficios que nos proporciona el mar.
2. Pídele a tu mamá o una persona mayor que te explique una receta de cocina típica de Jalisco para preparar productos del mar.
- Llévala a tu grupo y comenta con tus compañeros los cuidados que se deben tener para comer estos alimentos sin poner en riesgo la salud.

Lección 18
Región Sierra Occidental

San Sebastián del Oeste

Esta región se ubica en la parte oeste de nuestra entidad y está formada por los municipios de Atenguillo, Ayutla, Cuautla, Guachinango, Mascota, Mixtlán, San Sebastián del Oeste y Talpa de Allende. De acuerdo con su nombre, la mayor parte de su relieve lo componen zonas de sierras cuya vegetación es muy rica con especies de pino, oyamel, cedro, encino, parota, fresno, pochote, primavera y rosamorada. En las zonas bajas de las sierras hay mezquite, nopal, pitayo, huizache y pastizales.

Árbol de Primavera

En la región predomina el clima templado que favorece la abundancia de bosques en las partes altas de la sierra. Está poblada por especies animales como el venado, jabalí, gato montés, puma, pantera y también de animales pequeños como ardillas, conejos y armadillos, sin faltar distintas especies de aves.

Laguna de Juanacatlán. Mascota

Simbología

- Industria
- Caña de azúcar
- Frutales
- Explotación forestal
- Colmenas
- Artesanía
- Café
- Minería
- Avena

La actividad agrícola se desarrolla con cultivos de maíz, garbanzo, avena, sorgo, trigo, caña de azúcar y café. Se cultivan especies frutales como: guayabo, durazno, naranjo, aguacate y arrayán.

En la ganadería, las especies que más se crían son ganado bovino y porcino, aunque hay también ovino y caprino, así como granjas avícolas y colmenas.

La región Sierra Occidental tiene recursos mineros como cobre, plata, oro, barita, plomo, zinc y yeso.

Por la abundancia de bosques, hay explotación forestal en los municipios de Ayutla, Mascota, San Sebastián del Oeste y Talpa de Allende.

Otras actividades económicas son las industrias de calzado, muebles y productos de plástico. Son notables las conservas y los dulces cubiertos que se preparan aprovechando las especies frutales.

Artesanía de Chilte

Recolección de naranja

Agricultura

La explotación minera a principios del siglo XIX

Con la resina del árbol del chilte se elaboran artesanías en la región de Talpa de Allende. Además, en este lugar hay un santuario religioso que es visitado por una gran cantidad de peregrinos que hacen grandes recorridos a pie, cruzando sierras y poblaciones durante varios días.

Mascota

Los paisajes de la sierra tienen un gran atractivo y son provechosos para la actividad turística; por ello, en poblaciones como Mascota y San Sebastián del Oeste, es frecuente encontrar viajeros de varios lugares de nuestro país y del extranjero, que acuden a disfrutar la belleza de esos lugares y del clima.

Gato montés

Jabalí

Actividades

1. Pregunta a tus familiares si saben cómo se elaboran las conservas de frutas.
- Comenta e intercambia con tus compañeros la información que obtengas.

2. Escribe en tu cuaderno la siguiente relación de minerales y encierra en un círculo rojo los que existen en la región Sierra Occidental.

caliza	plata	manganeso	oro	mercurio
cobre	zinc	plomo	hierro	barita

Lección 19

Región Valles

Jimador de agave

La región se localiza en la parte centro-oeste de nuestra entidad y está formada, como su nombre lo dice, por los valles de Ameca, Ahualulco, Cocula, Etzatlán, Tala y Magdalena, que abarcan los municipios del mismo nombre. Además incluye otros municipios, como El Arenal, San Juanito de Escobedo, San Marcos, San Martín Hidalgo, Tequila, Teuchitlán, Hostotipaquillo y Amatitán.

Los límites de estos valles por el sur son la sierra de Quila y los cerros La Tetilla y El Huehuetón, y por el norte, el volcán de Tequila. El clima predominante es el cálido con lluvias abundantes en verano.

Destilería de tequila

Esta región es de gran importancia para el estado, ya que en ella se desarrolla la agricultura de riego y de temporal, con cultivos de maíz, garbanzo, trigo y sorgo, así como el agave y la caña de azúcar, que mantienen activas a las industrias tequilera y azucarera de la región.

Simbología

- 🏭 Industria
- 🌽 Maíz
- 🐐 Ganado caprino
- 🌾 Agave
- 🐓 Aves de corral
- 🏺 Artesanía
- 🐄 Ganado bovino
- ⛏ Minería
- 🐝 Colmenas
- 🌲 Explotación forestal
- 🌾 Trigo
- 🌾 Caña de azúcar

Ópalos

62

Cocula

En esta región se llevan a cabo actividades ganaderas, las cuales consisten principalmente en la cría de ganado bovino y caprino. Destaca por su importancia la cría de aves de corral. Asimismo se cuenta con colmenas y apiarios para la producción de miel.

Otra actividad importante es el aprovechamiento de algunos recursos forestales como el pino y el encino, sobre todo en las áreas boscosas de las sierras y montañas aledañas. La extracción de minerales como la plata y el ópalo sólo se lleva a cabo en las minas de los municipios de Tequila y Hostotipaquillo.

La industria del tequila, que le ha dado fama y tradición a nuestro estado a nivel nacional e internacional, se desarrolla en los municipios de Arenal, Tequila y Amatitán.

La región Valles destaca también por la elaboración de artesanías, como la joyería, con piedras de ópalo y obsidiana, la ropa bordada, los equipales, los muebles de madera con cuero curtido y las barricas para almacenar y añejar el tequila.

Actividades agrícolas

Patio de beneficio en hacienda tequilera

Actividades

1. Pregúntale a un familiar y a tu maestro o maestra qué productos se obtienen de la industria de la caña de azúcar. Escríbelos en tu cuaderno y señala cómo son utilizados.

2. Del siguiente cuadro, descubre cuáles municipios no pertenecen a la región Valles. Comprueba tus respuestas consultando el mapa.

El Arenal   Magdalena
Autlán   Chapala
Cocula   Ameca
Amatitán   Mascota
San Marcos   Tala
Tenamaxtlán   Teuchitlán

Región Centro

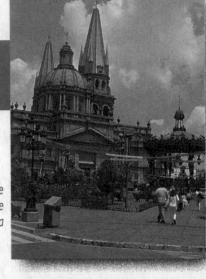

Plaza de Armas de Guadalajara

Esta región se ubica en la zona central de nuestra entidad y comprende los municipios de Ixtlahuacán del Río, Ixtlahuacán de los Membrillos, Cuquío, Guadalajara, San Cristóbal de la Barranca, Zapopan, Tonalá, Tlaquepaque, Villa Corona, Tlajomulco de Zúñiga, Zapotlanejo, Acatlán de Juárez, Juanacatlán y El Salto. Su relieve es diverso.

Comprende extensos valles, como el de Atemajac y Tesistán, donde se asientan gran parte de las ciudades de Guadalajara y Zapopan; alrededor de estos valles destacan los cerros de El Colli, Tonalá, La Loma, Las Juntas, El Cuatro, El Santa María y El Gachupín.

Panorámica de Zapopan

Parián de Tlaquepaque

Simbología

- Industria
- Maíz
- Ganado caprino
- Caña de azúcar
- Aves de corral
- Artesanía
- Ganado ovino
- Sorgo
- Colmenas
- Ganado porcino
- Trigo

En el oeste de esta región, el paisaje boscoso de las sierras de La Venta y La Primavera contrasta con la profunda y larga barranca de Oblatos, en la parte este, en cuyo fondo corre el río Santiago.

Barranca de Oblatos

El clima predominante es cálido y en algunas zonas templado.

Las actividades productivas de la región Centro son muy variadas. En algunos de sus municipios destaca la producción de maíz, sorgo, caña de azúcar, trigo y garbanzo forrajero, y la cría de ganado bovino, porcino, ovino, caprino, así como aves de corral y abejas.

Los municipios de Guadalajara, Zapopan, Tlaquepaque y Tonalá se unen y forman la zona metropolitana. Son los municipios de mayor desarrollo urbano y concentran una gran cantidad de industrias, fábricas, talleres de producción, servicios educativos, de salud, bancarios y turísticos.

Bosque La Primavera

La actividad industrial abarca la producción de alimentos para el consumo humano y animal, bebidas, refrescos embotellados, dulces, tabaco, azúcar, textiles, prendas de vestir, de piel, calzado, muebles, papel, maquinaria, equipo para automóviles, medicinas, fertilizantes para la agricultura, productos fotográficos, hule, plásticos y aparatos electrónicos.

Industria textil

Mercado de San Juan de Dios. Guadalajara

Es importante mencionar las actividades artesanales que se realizan en los municipios de Tlaquepaque y Tonalá. Los artesanos, con el trabajo de sus manos, convierten el barro, la piel, el papel o el vidrio en verdaderas obras de arte, reconocidas y admiradas en México y en muchos países del mundo.

Estas actividades generan numerosos empleos. Por eso, muchas personas de otras partes del estado, y de fuera de él, se trasladan a la zona metropolitana en busca de trabajo.

Pero esta concentración de actividades económicas y servicios también produce problemas. Por ejemplo, resultan insuficientes las viviendas, los transportes, el agua, los parques y zonas arboladas, así como las oportunidades para que todos puedan tener un empleo o lugar en las escuelas donde realizar sus estudios.

San Pedro Tlaquepaque

Además, las fábricas, las grandes industrias y los vehículos de motor son fuente de varias formas de contaminación del aire, suelo y agua, que afectan y dañan la salud de las personas, los animales y las plantas. Por eso es importante que todos participemos en el cuidado del ambiente.

Plaza Tapatía. Guadalajara

Artesanía de Tonalá

66

1. Escribe en tu cuaderno una lista de los productos o mercancías que consumes en tu hogar y sean fabricados o traídos de la región Centro. Clasifícalos en alimentos, ropa, etcétera. Comenta en tu grupo los resultados de tu trabajo.

2. Organiza, junto con tus compañeros y la ayuda de tu maestro, una exposición de artesanías elaboradas en la región Centro.

3. Comenta con tus compañeros:
• ¿Cómo afectan las diversas formas de contaminación a las personas, animales y plantas?

4. Organiza en tu grupo una campaña para evitar la basura en los sitios públicos.
• Escribe mensajes en tiras de papel de colores y realiza carteles y pancartas.

5. Pregunta a tus familiares y maestros si conocen canciones donde se nombre a Guadalajara u otros municipios de la región Centro.
• Pide que te dicten unos versos de alguna de ellas y que te enseñen a cantarla.
• Inclúyela en tu cancionero regional.

6. La birria, el pozole y las tostadas son algunos platillos típicos de la región Centro. ¿Tú sabes preparar estos alimentos?
• Consigue con tus familiares recetas de cada uno.
• Preséntalas a los compañeros de tu grupo. Si es posible, organicen la preparación de una de ellas.

Zona industrial El Salto

Artesano

La población de Jalisco

En Jalisco viven mestizos, huicholes y nahuas, todos forman parte de la población de la entidad y de México.

Los mestizos constituyen gran parte de los habitantes del estado; viven en ciudades, poblados y rancherías, y realizan diversas actividades, como la agricultura, la ganadería, el comercio, los servicios y la industria.

Mujer nahua del municipio de Tuxpan

Huicholes de Jalisco

En nuestro estado habitan también varios grupos indígenas, entre ellos, el más numeroso es el pueblo huichol, cuyos integrantes viven principalmente en comunidades de la sierra que lleva su nombre, aunque en la actualidad algunos de ellos han tenido que emigrar a las ciudades de Guadalajara, Zapopan y otros lugares en busca de mejores condiciones de vida.

Todos colaboramos para resolver los problemas de la localidad

La población nahua de Jalisco se localiza en pequeñas comunidades de la sierra de Manantlán, en los municipios de Cuautitlán y Tuxpan. Los nahuas se dedican principalmente al cultivo del maíz y del frijol.

Otros grupos indígenas que tienen menor número de hablantes, como los purépechas, mixtecos, otomíes y zapotecos, forman parte de la población de Jalisco; llegaron a nuestra entidad provenientes de otros estados de la República. Estos grupos realizan diversas actividades en las ciudades jaliscienses.

Para saber la cantidad de habitantes que hay en el país, en la entidad o en la localidad, cada 10 años se realiza en México un censo, es decir, un registro del número de personas que habitan en cada vivienda. Se les pregunta su edad, si saben leer y escribir, si asisten a la escuela, cuál es su trabajo u ocupación, qué idioma hablan y qué religión tienen. Esta información sirve para planear y dotar de servicios a los mexicanos.

Los niños, las niñas, los jóvenes, los adultos y los ancianos forman parte de la población del estado

El Instituto Nacional de Estadística, Geografía e Informática (INEGI), es el encargado de realizar el censo en nuestro país; el último se llevó a cabo en 1990 y pudimos saber que la población de Jalisco era de más de cinco millones de habitantes.

En 1995 se realizó un conteo para actualizar los datos del censo. Por los resultados obtenidos sabemos que la población de nuestra entidad ha aumentado, ya que somos casi seis millones de jaliscienses, de los cuales un poco más de la mitad son mujeres. También nos enteramos que casi la mitad de los habitantes de nuestro estado son niños, niñas, hombres y mujeres jóvenes menores de 20 años de edad.

Más de la mitad de los habitantes de nuestra entidad vive en municipios muy poblados, como Guadalajara, Tlaquepaque, Zapopan y Tonalá, que forman la zona metropolitana de Guadalajara.

Carnicería de un poblado pequeño

Localidades rurales de Jalisco

Otra parte importante de la población del estado habita en ciudades de menor tamaño, por ejemplo Ciudad Guzmán, Puerto Vallarta, Ocotlán y Lagos de Moreno, entre otras.

Todas éstas, llamadas también localidades urbanas, cuentan con una gran cantidad de servicios como transporte, escuelas, agua potable entubada, energía eléctrica, drenaje, clínicas y hospitales, así como calles pavimentadas y recolección de basura. Estos servicios son necesarios para que la gente pueda vivir y realizar sus actividades cotidianas, como trabajar en fábricas, oficinas, comercios y bancos, principalmente.

Niños y jóvenes ayudan a cuidar el ambiente

Tapalpa

Desfile charro en San Juan de los Lagos

Las localidades rurales tienen menor número de habitantes, cuentan con pocos servicios o carecen de algunos de ellos; la gente se dedica a labores propias del campo: agricultura, ganadería y aprovechamiento de los bosques. En algunas regiones, a la minería, y en otras, a la pesca.

Sonajeros de Tuxpan

A los jaliscienses nos unen costumbres y tradiciones que constituyen la herencia de nuestros antepasados y son parte de nuestro patrimonio cultural, como el idioma, la forma de vestir y de preparar los alimentos, las celebraciones, la música y las danzas.

Actividades

1. ¿Cuántas personas forman tu familia?, ¿y las de tus compañeros?
- Realiza entre tus familiares y amigos un censo.
- En tu cuaderno copia el siguiente cuadro.
- Marca con una rayita cada persona registrada de acuerdo con su sexo y su edad.

Cuadro de registro

Edad	Hombres	Mujeres	Total
de 0 a 6 años			
de 7 a 12 años			
de 13 a 18 años			
de 19 a 24 años			
de 25 a 30 años			
de 31 a 36 años			
de 37 o más años			

2. En tu cuaderno escribe y contesta las siguientes preguntas:
- En el censo que realizaste, ¿hay más hombres o mujeres?
- ¿Hay más niñas que niños?
- ¿Cuántas personas son menores de 20 años? ¿Cuántas son mayores de esa edad?

3. Compara tus respuestas con las de tus compañeros. Comenta en tu grupo los resultados obtenidos.

Lección **22**
Medios y vías de comunicación

Transbordador

Es muy probable que al ir a la escuela, al mercado, a la plaza, a una localidad o municipio lejano hayas observado o utilizado los medios de transporte. Éstos pueden ser de tres tipos: terrestres, como los caballos, los burros, las carretas, los automóviles, los camiones y el ferrocarril; aéreos, como las avionetas, los helicópteros y los aviones, y marítimos, como las lanchas y los barcos. ¿En cuáles has viajado?

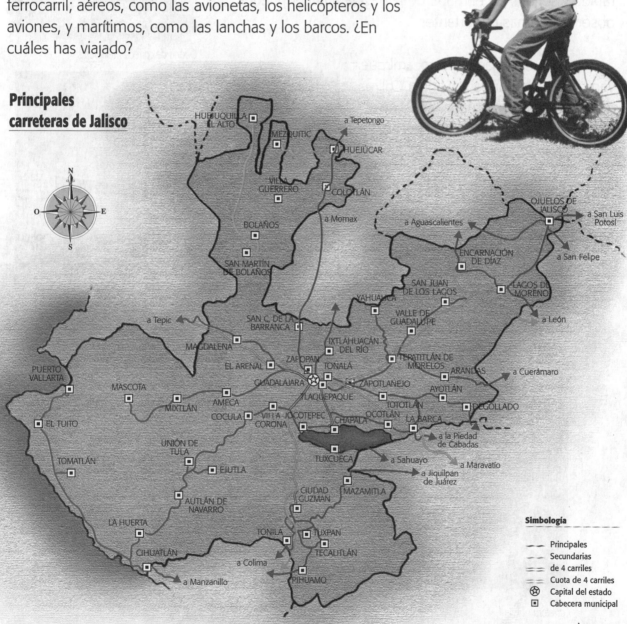

Principales carreteras de Jalisco

HUEJUQUILLA EL ALTO
MEZQUITIC
a Tepetongo
HUEJÚCAR
VILLA GUERRERO
COLOTLÁN
a Momax
BOLAÑOS
a Aguascalientes
OJUELOS DE JALISCO
a San Luis Potosí
SAN MARTÍN DE BOLAÑOS
ENCARNACIÓN DE DÍAZ
a San Felipe
SAN JUAN DE LOS LAGOS
LAGOS DE MORENO
a Tepic
YAHUALICA
SAN C. DE LA BARRANCA
VALLE DE GUADALUPE
a León
MAGDALENA
IXTLAHUACÁN DEL RÍO
PUERTO VALLARTA
ZAPOPAN
TONALÁ
TEPATITLÁN DE MORELOS
ARANDAS
a Cuerámaro
MASCOTA
EL ARENAL
GUADALAJARA
ZAPOTLANEJO
AYOTLÁN
DEGOLLADO
MIXTLÁN
AMECA
TLAQUEPAQUE
TOTOTLÁN
EL TUITO
COCULA
VILLA CORONA
JOCOTEPEC
OCOTLÁN
LA BARCA
a la Piedad de Cabadas
UNIÓN DE TULA
CHAPALA
TOMATLÁN
TUXCUECA
a Sahuayo
a Maravatío
EJUTLA
a Jiquilpan de Juárez
CIUDAD GUZMÁN
MAZAMITLA
AUTLÁN DE NAVARRO
LA HUERTA
TONILA
TUXPAN
CIHUATLÁN
TECALITLÁN
a Colima
PIHUAMO
a Manzanillo

Simbología

- Principales
- Secundarias
- de 4 carriles
- Cuota de 4 carriles
- ✪ Capital del estado
- ⊡ Cabecera municipal

Todos los medios de transporte requieren de vías de comunicación, que son las rutas que siguen para poder llevar personas y mercancías de un lugar a otro.

En nuestra entidad la mayoría de las localidades están comunicadas por diversas carreteras y autopistas, que unen ciudades y poblados pequeños, tanto de Jalisco como de otras entidades. Actualmente, las carreteras y autopistas han mejorado en forma importante la comunicación entre las regiones del estado. Estas vías de comunicación, además, han contribuido al desarrollo de nuestro estado al facilitar el traslado de productos de un lugar a otro en forma más rápida y segura. En el mapa de la página anterior puedes observar las más importantes.

Oficina de correos y telégrafos

Existen cuatro vías de ferrocarril que van de Guadalajara a Nayarit, a Colima y a Michoacán, y la cuarta viene de Aguascalientes, atraviesa Jalisco en el noreste y se dirige a Guanajuato. El ferrocarril es muy útil porque facilita a bajo costo el transporte de carga pesada, como maquinaria para las fábricas.

Aeropuerto Internacional Licenciado Gustavo Díaz Ordaz. Puerto Vallarta

Carretera

También hay dos aeropuertos internacionales: el Miguel Hidalgo y Costilla, en la ciudad de Guadalajara, y el Licenciado Gustavo Díaz Ordaz, en Puerto Vallarta, así como varias pistas de aterrizaje. En algunas localidades del norte de nuestra entidad, donde el relieve es montañoso, la avioneta es uno de los medios utilizados para trasladarse.

Puerto Vallarta destaca por su gran actividad turística, por lo cual a este lugar llega un transbordador que traslada carga y pasajeros de Jalisco a Los Cabos, en Baja California Sur, así como cruceros turísticos provenientes de otros países.

Aeropuerto Internacional Miguel Hidalgo

Medios y vías de comunicación en Jalisco

75

Cuando queremos tener noticias de una persona o acontecimiento que está lejos de nosotros, hacemos uso de los medios de comunicación.

En Jalisco contamos con correo, telégrafo y teléfono. Éste permite comunicarnos de persona a persona. En muchos lugares, para poder enviar mensajes en texto e imagen, se emplea el fax. ¿Cuáles se utilizan con frecuencia en tu localidad?

Teléfono

Fax

Maxipista Tapatía

Camino empedrado

Estación del ferrocarril. Guadalajara

Transporte urbano

Si los mensajes se quieren proporcionar a un gran número de personas, se utilizan medios de comunicación como la radio, la televisión, las revistas y el periódico.

Los periódicos que se publican diariamente en Jalisco son: *El Informador, Ocho Columnas, El Occidental, Público, Mural* y *Sol de Guadalajara.*

En el estado funcionan emisoras de radio con una programación variada para todos los gustos, y también se aprovecha la transmisión de canales de televisión, telecable y vía satélite.

Antena, estudio e instalaciones de un canal de televisión local y plato de una antena parabólica

1. Consigue algunos periódicos que circulen en tu localidad.
- Por equipos, revisen el material. Con ayuda del maestro identifiquen las secciones en que está organizado el periódico. Completen en su cuaderno un cuadro como el siguiente:

Nombre del periódico	Sección	Principales noticias

- Muestren su cuadro al grupo y comenten los periódicos más leídos y las secciones más gustadas, por ejemplo: la deportiva, la de noticias nacionales, la de otros países y más.

2. Investiga si hay alguna estación de radio en tu localidad y responde a las siguientes preguntas en tu cuaderno: ¿cómo se llama? ¿Qué tipo de programas transmite? ¿Cuál te gusta más? ¿Por qué?
- Si no hay estación local, elige la de tu preferencia y responde las mismas preguntas. Comenta las respuestas con tus compañeros.

3. En la medida de lo posible, visita una oficina de correos y telégrafos. Investiga cómo puedes utilizar esos medios de comunicación y posteriormente envía una carta o un telegrama a un familiar que viva en otro lugar.

4. Juega a descubrir la ruta:
- En tu mapa de vías de comunicación, elige dos localidades y traza la ruta que seguirías para llegar.
- Di a tus compañeros el lugar del que partirás, la vía de comunicación que utilizarás y el punto cardinal hacia el que se encuentra la localidad de destino.
- Pide a tus compañeros que mencionen dos localidades que se encuentren en el camino y el lugar al que llegarás. El compañero que acierte será el que señale la siguiente ruta.

INTRODUCCIÓN AL ESTUDIO DEL PASADO

3

La medición del tiempo

Reloj de sol

Desde la antigüedad, el ser humano se ha preocupado por calcular el paso del tiempo. Al observar el Sol, la Luna y las estrellas, comenzó a darse cuenta de la regularidad de sus movimientos e inventó el calendario. Con él pudo contar pequeños periodos de tiempo como el día y la noche, y periodos más largos como las semanas, los meses y los años.

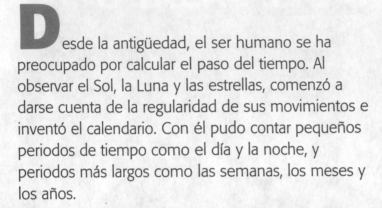

Reloj antiguo

Mucho después, se inventaron otros instrumentos para medir el tiempo como las velas marcadas, los relojes de arena y los de sol, hasta llegar a los modernos relojes que ahora usamos. Si observas con atención sus manecillas, notarás que marcan el tiempo en segundos, minutos y horas. Sesenta minutos son una hora, 24 horas forman un día. En un calendario puedes observar que la semana tiene siete días y un mes, generalmente, tiene 30 o 31. Doce meses forman un año, cinco años un lustro y 10 una década. Un siglo equivale a 100 años.

Nuestras actividades diarias están relacionadas con el tiempo. Sin los relojes y calendarios no sabríamos el día y el mes en que salimos de vacaciones, ni cuando debemos regresar a la escuela, la hora de levantarnos, de comer, o de dormir. Cuando hablamos de *antes*, *ahora* o *después* nos referimos al pasado, al presente y al futuro.

Reloj de arena

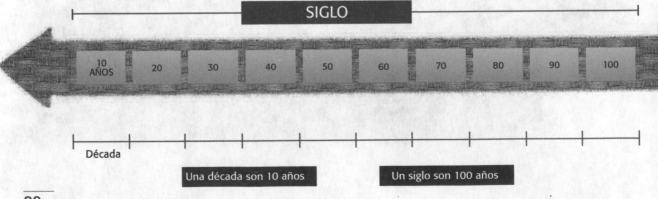

SIGLO

| 10 AÑOS | 20 | 30 | 40 | 50 | 60 | 70 | 80 | 90 | 100 |

Década

Una década son 10 años   Un siglo son 100 años

Los siglos se representan con números romanos. En este momento estamos a finales del siglo XX y está por comenzar el siglo XXI.

Para representar los años, los lustros, las décadas y los siglos puedes utilizar la línea del tiempo.

La línea del tiempo es un esquema que nos permite ubicar los sucesos en el orden en que ocurrieron y el tiempo que duraron. En ella podemos anotar e ilustrar los acontecimientos de la historia familiar, de la localidad, del país y del mundo.

Mi historia personal

| 1991 | 1992 | 1993 | 1994 | 1995 | 1996 | 1997 | 1998 | 1999 | 2000 |

Nací en 1991

Entré al jardín de niños

A los cinco años aprendí a manejar bicicleta

Fuimos a la playa y conocí el mar

Soy alumno de tercer grado

Actividades

1. Si no existieran los relojes, ¿cómo medirías el tiempo?
- Platícalo con tus compañeros e inventen una forma para medirlo. Escriban un cuento sobre las cosas que ocurrieron al medir el tiempo en la forma que inventaron.

2. En un calendario señala la fecha de tu próximo cumpleaños. ¿Cuánto falta para que vuelvas a cumplir años?

3. Elabora en tu cuaderno una línea del tiempo y ubica tres acontecimientos importantes de tu vida; recuerda poner las fechas de cada uno e ilústralos.
- Muéstrala a tu maestro y compañeros.

Todo tiene historia

¿Alguna vez te has preguntado cómo eras de pequeño? Es posible que recuerdes algunas cosas que usabas, como juguetes o un acontecimiento especial, como tu cumpleaños. Habrá cosas que hayas olvidado y que te gustaría recordar. Pues bien, tú puedes conocerlas pidiendo a tus padres o abuelos que te cuenten cómo eras y qué hacías.

Por el relato de tus familiares y al observar tus objetos personales habrás notado que tu cuerpo, tu manera de vestir, de pensar, de divertirte, de alimentarte, cambian con el paso del tiempo. Todas estas transformaciones forman parte de tu pasado.

Cada persona tiene su pasado, es decir, su historia, la cual le permite saber cuándo y dónde nació, quiénes fueron sus familiares y los cambios que ha tenido. Cuando una persona cuenta o escribe su historia nos está narrando su biografía.

A veces, los recuerdos y los relatos no son suficientes para conocer nuestro pasado, por lo que podemos recurrir a documentos y objetos, como el acta de nacimiento, la cartilla de vacunación, fotografías, juguetes y muchas otras cosas que sirven para saber cómo éramos antes y cómo somos ahora.

Esquema genealógico

Mi abuelo paterno   Mi abuela paterna   Mi abuelo materno   Mi abuela materna

Mi papá   Mi mamá

Mi hermano   Yo

De la misma forma que tú, tu familia tiene su historia. Saber el pasado de nuestra familia nos permite comprender algunos de nuestros gustos y formas de ser. Diariamente, al convivir en un mismo espacio y al estar unidos por lazos de parentesco, construimos nuestra historia familiar. Los nacimientos, el cambio de casa y otros sucesos, como bodas y cumpleaños, le dan características especiales a nuestra familia.

En mi cumpleaños

Para identificar los lazos de parentesco que existen entre los miembros de la familia, puedes emplear los esquemas genealógicos. Observa el que aparece en esta página y te darás cuenta de ello.

Por las pláticas de nuestros padres y abuelos nos podemos enterar de los acontecimientos importantes de los miembros de la familia o de algunos sucesos de nuestra localidad.

Se conoce como historia oral a las narraciones que no están escritas, y que se transmiten de manera verbal de generación en generación. De esta forma, se han conservado hasta nuestros días leyendas, anécdotas y otros acontecimientos que nadie registró.

Existen diferentes formas de conocer la historia personal, familiar o de la entidad, una es por medio de narraciones orales y otra por medio de testimonios materiales, como obras de arte, construcciones, instrumentos de trabajo, monumentos o parques que se han conservado durante cientos de años. Por ello, es importante que los conozcamos y cuidemos, ya que forman parte de nuestro patrimonio cultural.

Para saber cómo hemos llegado a ser lo que somos y lo que tenemos, es importante conocer la historia de nuestra entidad. En ella han participado las mujeres, los hombres, las niñas y los niños que han habitado los distintos pueblos de este territorio. Todos ellos han contribuido con su esfuerzo a transformar poco a poco nuestro estado, hasta convertirlo en una región industrial y agrícola de gran importancia.

Las fotografías son testimonio de la vida familiar

Los libros y documentos nos ayudan a conocer el pasado

En las siguientes lecciones aprenderás quiénes fueron los primeros pobladores de Jalisco, los cambios que se dieron en las formas de vida y trabajo, la llegada de los españoles a estas tierras, la participación de nuestros antepasados en el movimiento de Independencia y el origen de nuestro estado. Asimismo, te darás cuenta de las transformaciones en los medios de transporte y vías de comunicación, en las diversiones, formas de vestir y de alimentarse. Todos estos cambios se registran a lo largo de años, décadas y siglos.

La historia de nuestra entidad forma parte de la historia nacional y para comprenderla mejor se ha dividido en etapas. Cada una de ellas es un periodo de tiempo en que los acontecimientos que se suceden tienen algo en común.

Vasija elaborada por nuestros antepasados indígenas

Cerámica antigua

Cerámica actual

Plancha antigua

Modelo de las primeras máquinas de escribir

Herramientas antiguas

El Hospicio Cabañas en el siglo pasado

El Hospicio Cabañas como es actualmente

Actividades

1. Describe algunos hechos de tu vida. Las cosas que no recuerdes, consúltalas con tus familiares y, junto con ellos, escribe tu historia personal o biografía. Ilústrala con fotografías o dibujos.

2. Observa el esquema genealógico de esta lección y en tu cuaderno elabora el de tu familia. Pide a tus padres que te ayuden a ilustrarlo y, si no tienes fotografías, dibuja a tus familiares como los imaginas.

3. Investiga con tus padres y abuelos cómo era tu localidad antes de que nacieras. Con lo que te cuenten, elabora tres dibujos donde describas cómo era tu comunidad antes, cómo es ahora y cómo te la imaginas dentro de 10 años.

EL PASADO DE MI ESTADO

4

Lección 25

Los primeros pobladores

Hace aproximadamente 40 mil años llegaron al continente americano o América sus primeros pobladores. Eran grupos de hombres, mujeres y niños nómadas; es decir, que iban de un lugar a otro en busca de alimentos, los cuales obtenían de la recolección de frutos y raíces silvestres, atrapando algunos animales y, en ocasiones, cazando a otros, de los que obtenían además de comida, pieles y huesos para hacer su ropa y herramientas.

En esos tiempos, el mar que separaba al continente asiático del continente americano se congeló. Se formó entonces un paso temporal que permitió a los grupos asiáticos ir por alimentos. En su búsqueda, cruzaron, sin saberlo, el estrecho de Bering. Miles de años pasaron para que el hombre poblara poco a poco nuestro continente, hasta llegar al territorio que hoy es Jalisco.

Puntas de proyectil

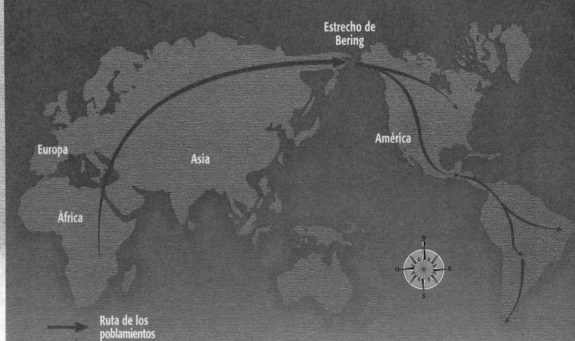

Ruta que siguieron los primeros pobladores de América

Estrecho de Bering

Europa

Asia

América

África

→ Ruta de los poblamientos

Gracias a los testimonios encontrados, como puntas de flecha, silbatos y anzuelos, sabemos que los primeros pobladores se establecieron en grupos pequeños, cerca de los lagos de Zacoalco y Chapala, que eran lugares propicios para la recolección, la caza y la pesca por abundar el agua y la vegetación.

Con el paso del tiempo, los grupos humanos de la región descubrieron la agricultura y comenzaron a cultivar maíz, calabaza, frijol, chile y maguey. Esto ayudó a que la gente se estableciera en un sitio y se formaran las primeras aldeas. Las viviendas de estos pobladores eran de un piso, con paredes de carrizo cubiertas de barro y el techo de palma o zacate.

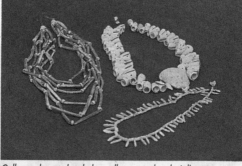
Collares de concha de los valles centrales de Jalisco

Figura estilo Tuxcacuesco de una mujer moliendo

Hachas de cobre laminado

Lanzas

Estos pobladores fueron perfeccionando sus formas de organización y de vida, como lo demuestran las culturas Chupícuaro y Tumbas de Tiro. La cultura Chupícuaro tuvo influencia en las poblaciones del norte del estado y en la zona de Los Altos de Jalisco. Destacó por su cerámica de gran calidad y belleza. Las piezas y los utensilios eran decorados con los colores rojo, crema y blanco. En Bolaños y Totatiche, se han encontrado bules o jícaras de calabaza, cajas de barro y piezas de cerámica con forma humana de cara alargada y nariz grande.

Vasija de cerámica. Cultura Tumbas de Tiro

A la cultura Tumbas de Tiro se le llamó así porque los pobladores enterraban a sus muertos en cuartos subterráneos, cuya entrada era un pozo o tiro de tres o más metros de profundidad. Estos testimonios se localizan en el centro de Nayarit, Jalisco y Colima. Sus pobladores acostumbraban envolver a los muertos en petates y les colocaban ofrendas de concha, cerámica, adornos de barro y obsidiana como tocados, collares, pectorales y orejeras. Los indígenas hacían esto porque creían que el difunto, en su otra vida, necesitaría de sus herramientas, armas y adornos. Cubrían las tumbas con piedras lisas y tierra para evitar que fueran saqueadas.

Alfarero

Figura. Cultura Chupícuaro

Guerrero estilo Ameca

Tumba de tiro encontrada en El Grillo, Los Belenes. Zapopan

90

En las tumbas se han encontrado figurillas humanas que representan escenas de la vida diaria y familiar. Se sabe que los hombres de estas culturas se cubrían con un calzón de algodón o piel de animales y, en caso de guerra, se protegían el pecho y la espalda con un protector, a manera de armadura, hecho de algodón y carrizo. Las mujeres, por su parte, se enredaban en la cintura una tela sostenida por un ceñidor.

Al declinar las culturas Chupícuaro y Tumbas de Tiro, hace un poco más de mil años, algunas regiones de lo que hoy es Jalisco fueron ocupadas por distintos pueblos provenientes del norte, como los tecuexes y los cazcanes, descendientes todos ellos de un grupo de personas llamadas nahuas. De estos grupos descienden los huicholes y los coras, que siguen viviendo en la región Norte de nuestro estado.

Silbatos u ocarinas

Sonaja y cascabeles

Jugador de pelota estilo Ameca

El estado de Jalisco. Culturas Tumbas de Tiro y Chupícuaro

Durango

Zacatecas

Totoate

Totatiche

Aguascalientes

San Luis Potosí

Bolaños

Nayarit

Cerro Encantado

Magdalena ▲   Antonio Escobedo ▲

Guanajuato

Etzatlán ▲

Amatitán ▲   Zapopan ▲

Ahualulco ▲   Tala ▲

Ameca ▲

Cuspala ▲

Santa Ana Acatlán ▲

Michoacán

San Miguel Tonaya ▲

● Cultura Chupícuaro
▲ Tumbas de Tiro

Océano Pacífico

Colima   Pihuamo ▲

Zona arqueológica del Ixtépete. Municipio de Zapopan

Petroglifo o pintura en piedra

Por esos tiempos, algunas zonas de la entidad se convirtieron en lugar de paso de las personas que se dirigían al centro y sur de lo que hoy es la República Mexicana.

Actualmente, la cerámica que dejaron estas culturas es muy apreciada por los coleccionistas, lo que ha ocasionado el saqueo constante de las piezas. Es muy importante que tú y todos los habitantes del estado cuidemos estos testimonios, ya que forman parte de nuestro patrimonio cultural y nos permiten conocer mejor el pasado de Jalisco.

Mujer con pintura en el cuerpo. Cultura Chupícuaro

Hombre y mujer estilo Ameca

Actividades

1. Investiga si en tu municipio hay testimonios sobre alguna de estas culturas. Si existe un museo o una zona arqueológica, visítalos y escribe un relato de lo que más te haya gustado. Coméntalo con tus compañeros.

2. Modela con barro, plastilina o masa un objeto que represente alguna actividad de los primeros pobladores.

• Explica a tu maestro y compañeros la figura que hiciste.

Descubrimiento de América y conquista del Occidente de México

Hace más de 500 años, algunos comerciantes y marinos europeos buscaban nuevas rutas comerciales para llegar a Asia y conseguir especias como la pimienta y el clavo, que se utilizaban en la conservación de los alimentos que necesitaban los marineros para las grandes travesías. Con este fin, se emprendieron varios viajes con distintas rutas. Uno de estos viajes fue el de Cristóbal Colón, quien llegó en 1492 a tierras desconocidas hasta ese momento por los europeos. Colón y su tripulación pensaron que habían llegado a Asia, pero con el tiempo los europeos comprobaron que esas tierras eran parte de un nuevo continente, el cual recibió el nombre de América.

Cristóbal Colón

Mapa del primer viaje de Colón

Embarcaciones de la época del descubrimiento de América

Después de la llegada de Colón, se organizaron nuevas expediciones para conocer y poblar América. Una de ellas, encabezada por el español Hernán Cortés, llegó a las costas del Golfo de México, en 1519, donde tuvo noticias de la existencia de ciudades muy ricas, dominadas por los mexicas. Cortés decidió emprender el viaje y conquistarlos.

Transcurrido un año de enfrentamientos, los españoles derrotaron a los mexicas en 1521. Al territorio conquistado se le llamó Nueva España, y sobre las ruinas de Tenochtitlan, capital de los mexicas, se construyó la Ciudad de México. Desde ahí salieron nuevas expediciones a distintos lugares en busca de oro y plata.

La llegada de los españoles a costas mexicanas. Códice Azcatitlán

Hernán Cortés

Llamamos época colonial, o Colonia, a los 300 años en que los españoles dominaron nuestro territorio. Durante todo ese tiempo se llamó Nueva España y estuvo gobernada por un virrey, que representaba a la Corona española, es decir, al rey de España.

Para llevar a cabo estas expediciones se necesitó de la ayuda de los indios sometidos, así como de armas y alimentos. Organizar una expedición resultaba difícil y requería de muchos esfuerzos.

A finales de 1522, Cristóbal de Olid inició la conquista y colonización del territorio que hoy es nuestro estado. En esa expedición Olid llegó a Mazamitla y Tamazula. Tiempo después, Francisco Cortés de San Buenaventura encabezó otra expedición que salió de Colima y recorrió Cihuatlán, Autlán, Etzatlán y Xalisco, hasta el río Santiago. En el trayecto combatió a los pueblos que no se sometieron a su autoridad, y al no encontrar riquezas decidió regresar a Colima.

Cortés dirigió la Conquista.
Códice Florentino

Poco después, en 1529, Nuño Beltrán de Guzmán, quien ya había conquistado la zona del Pánuco, ubicada en las costas del Golfo de México, decidió emprender una nueva expedición hacia el occidente de Nueva España. Inició la conquista de esta zona, dominando a los purépechas, pueblo que habitaba parte de los territorios de los actuales estados de Michoacán y Guanajuato.

Posteriormente Beltrán de Guzmán llegó a Tonalá, cuya población estaba gobernada por una mujer que lo recibió pacíficamente; sin embargo, no todos los habitantes estuvieron de acuerdo en que los españoles fueran bien recibidos. Desde ahí, Guzmán mandó mensajeros a las poblaciones cercanas, habitadas por los cazcanes, para pedir que en forma pacífica se sometieran. En Nochistlán, los cazcanes mataron a los enviados, por lo que el conquistador se dirigió a esa región para dominarlos.

Al observar la pobreza de la región, Beltrán de Guzmán decidió proseguir hacia el oeste y llegó hasta lo que hoy es el estado de Sinaloa. Como no encontró oro y plata, ni una ruta que le permitiera avanzar o unir el Occidente con el Golfo de México, decidió volver al sur de lo que hoy es Jalisco y consolidar los territorios conquistados.

Por órdenes del rey de España, a este territorio se le dio el nombre de Nueva Galicia y se designó como capital a Compostela, ubicada al sur del actual estado de Nayarit. Su primer gobernador fue Nuño Beltrán de Guzmán.

Nuño Beltrán de Guzmán en la conquista del noroeste del paí[s] Códice Tellerian[o] Remensis

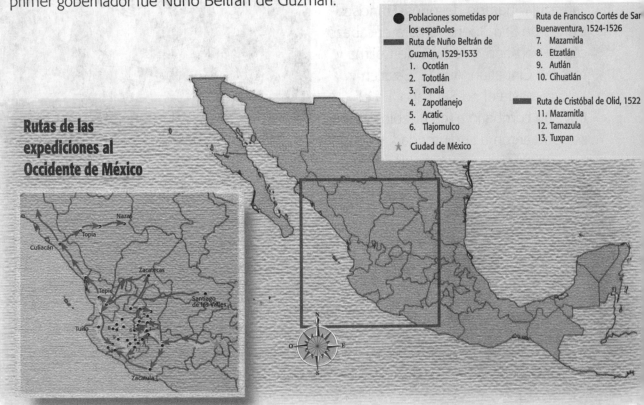

Poblaciones sometidas por los españoles	Ruta de Francisco Cortés de San Buenaventura, 1524-1526
Ruta de Nuño Beltrán de Guzmán, 1529-1533	7. Mazamitla
1. Ocotlán	8. Etzatlán
2. Tototlán	9. Autlán
3. Tonalá	10. Cihuatlán
4. Zapotlanejo	
5. Acatic	Ruta de Cristóbal de Olid, 1522
6. Tlajomulco	11. Mazamitla
	12. Tamazula
★ Ciudad de México	13. Tuxpan

Rutas de las expediciones al Occidente de México

Nazas
Topia
Culiacán
Zacatecas
Tepic
Santiago de los Valles
Tuito
Zacatula

En 1524 Hernán Cortés describió así la región:
Soy informado que hay provincias muy pobladas, donde se cree que hay muchas riquezas; y que una de ellas está habitada por mujeres guerreras, sin ningún varón.

Lámina del Lienzo de Tlaxcala

Actividades

1. Observa con atención las ilustraciones de la lección. Anota en tu cuaderno las diferencias entre los españoles y los indígenas. Fíjate en su vestido, armas y medios de transporte. Coméntalas en clase.

2. Ordena los acontecimientos que se enlistan a continuación. Escribe en los paréntesis de la izquierda los números del 1 al 3. El número 1 corresponderá al suceso que ocurrió primero y así sucesivamente.

( ) Cristóbal de Olid llega a Mazamitla y Tamazula.
( ) Hernán Cortés conquista la ciudad de Tenochtitlan.
( ) Nuño Beltrán de Guzmán inicia la expedición de conquista del occidente de Nueva España.

3. En tu cuaderno traza una línea del tiempo, ubica los acontecimientos que se enlistaron en la actividad anterior. Recuerda ilustrarlos.

La pacificación de Nueva Galicia

Para poblar Nueva Galicia se fundaron villas, y a los conquistadores se les otorgaron indígenas para trabajar sus tierras. A cambio, ellos debían brindarles protección y enseñarles la religión católica. A esta forma de organización se le llamó encomienda. Sin embargo, surgieron varios brotes de inconformidad, ya que los indígenas se quejaron del maltrato y de la pérdida de sus tierras.

Una de las grandes rebeliones indígenas dio lugar a la guerra del Miztón. Este conflicto se originó por el avance de la colonización española hacia la zona en que habitaban los cazcanes. Los españoles buscaban controlar la región, ya que esto les permitiría continuar su expansión hacia el norte de Nueva España.

Al frente de sus tropas, Pedro de Alvarado intentó someter a los rebeldes cazcanes, pero a consecuencia de las heridas sufridas en una de las batallas, fue trasladado a Guadalajara, en donde murió sin lograr su propósito.

El reino de Nueva Galicia

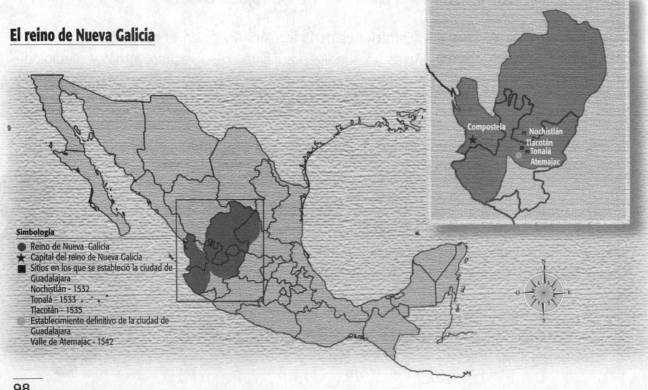

Simbología
- Reino de Nueva Galicia
- ★ Capital del reino de Nueva Galicia
- ■ Sitios en los que se estableció la ciudad de Guadalajara
  Nochistlán - 1532
  Tonalá - 1533
  Tlacotán - 1535
- Establecimiento definitivo de la ciudad de Guadalajara
  Valle de Atemajac - 1542

Varios fueron los intentos de los españoles por dominar la zona cazcana. Debido a la lejanía de Compostela, capital de Nueva Galicia, Juan de Oñate fundó en 1532 la primera villa con el nombre de Guadalajara en la sierra de Nochistlán; posteriormente se cambió a Tonalá y, por tercera ocasión, a Tlacotán. El establecimiento de esta villa fue considerado por los cazcanes una amenaza, por lo que la atacaron frecuentemente.

Algunos grupos indígenas se unieron a los cazcanes y la rebelión se extendió por toda la región. A lo largo de estos enfrentamientos, los conquistadores fueron derrotados por los indígenas que dominaban la sierra de Nochistlán, pues conocían este territorio que era de difícil acceso.

Ante esta situación, el virrey Antonio de Mendoza partió de la Ciudad de México hacia Nochistlán con un numeroso ejército. Poco a poco los españoles avanzaron y derrotaron a los indígenas, primero dominaron Acatic, después Tototlán y Nochistlán. Finalmente, atacaron el peñón del Miztón, donde vencieron a los cazcanes y a sus aliados.

Sitio del peñón de Nochistlán. Códice Vaticano

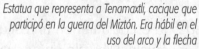

Un escritor del siglo pasado hizo una recreación narrativa de la manera en que se llevaron a cabo los preparativos para la guerra del Miztón:
Por senderos y veredas se concentraban los habitantes, cubiertos los hombros con piel de coyote. Mientras recitaban el mensaje de los dioses, las flechas atadas con cuero de venado estaban listas para la guerra. Empezaron a tocar los teponaxtles y el huéhuetl. Su percusión, que se escuchaba de valle en valle, daba a conocer que había llegado la hora.

Peñón del Miztón

Estatua que representa a Tenamaxtli, cacique que participó en la guerra del Miztón. Era hábil en el uso del arco y la flecha

Con este triunfo, los españoles lograron tener libre acceso a los territorios del norte de Nueva España, y establecer definitivamente la ciudad de Guadalajara, en el valle de Atemajac en 1542, donde actualmente se encuentra.

Traza de la ciudad de Guadalajara en la Colonia

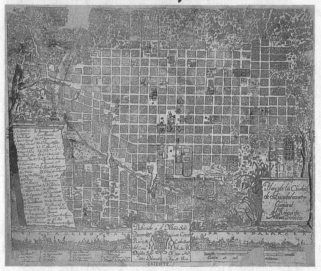

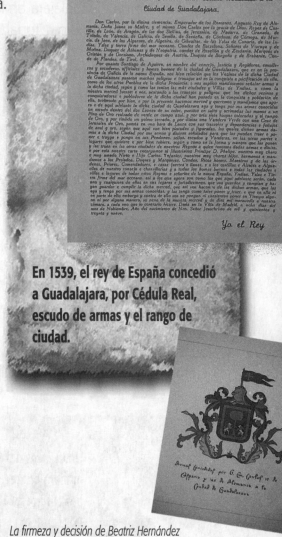

En 1539, el rey de España concedió a Guadalajara, por Cédula Real, escudo de armas y el rango de ciudad.

La firmeza y decisión de Beatriz Hernández determinaron la fundación de la ciudad de Guadalajara en el valle de Atemajac, el 14 de febrero de 1542. Monumento en su honor

Actividades

1. Con la información de la lección elabora una historieta sobre la guerra del Miztón. Para representar a los grupos que participaron en ella, toma en cuenta sus armas y formas de vestir.
- Muestra los dibujos a tu profesor y compañeros.

2. Investiga si tu localidad o tu escuela tienen un escudo que las represente. En caso de que no cuente con él, invéntalo. Dibújalo en tu cuaderno y explica sus elementos.

La Colonia en Nueva Galicia

Después de la guerra del Miztón, los españoles continuaron con la colonización. Los indios que sobrevivieron a esa lucha y que se habían refugiado en los montes y cañadas, siguieron atacándolos ocasionalmente.

Para fundar villas y ciudades en Nueva Galicia, los españoles congregaban a los indios dispersos en las montañas, y los obligaban a trabajar temporalmente en sus tierras. A esta forma de reunir a los indios se le llamó congrega. Para organizarlos se designaba a un indígena que los llevaba a trabajar.

En esa época, la población indígena disminuyó notablemente, debido a los malos tratos, el trabajo excesivo, las enfermedades y la mala alimentación.

Presencia de los frailes franciscanos en Nueva Galicia

Varios grupos de misioneros, entre ellos franciscanos, agustinos y carmelitas, llegaron a Nueva Galicia para convertir a los indígenas a la religión católica. Los franciscanos fueron los primeros en llegar, y recorrieron regiones hasta entonces desconocidas. Éstos enfrentaron varios problemas, pues no entendían las lenguas que se hablaban en la región.

La población de Nueva España

Convivían en estos territorios, además de los españoles peninsulares, sus hijos que habían nacido en América y que les llamaban criollos, los indios, los mestizos, hijos de españoles e indias, y los negros que habían sido traídos para realizar los trabajos pesados. Asimismo, se mezclaron sus costumbres, tradiciones y formas de vida. A todo ello se le llama mestizaje.

Los franciscanos aprendieron el náhuatl para poder comunicarse con los indígenas, por ser la lengua más difundida. El catecismo lo explicaban por medio de pinturas y representaciones teatrales. Con la evangelización, los españoles pudieron establecer nuevos poblados y seguir avanzando en la colonización.

Palacio de Gobierno. En este sitio estuvo la Audiencia de Nueva Galicia

Con el tiempo, Nueva Galicia se convirtió en el punto de partida para colonizar el norte de Nueva España, y la Corona española decidió establecer en Guadalajara un tribunal de justicia o Audiencia, el cual se encargaba de resolver los problemas políticos y administrativos de la región. Fue así como Guadalajara pasó a ser la capital de Nueva Galicia.

Paseo del Pendón

Las diversiones en Nueva Galicia

La vida de las familias ricas de Nueva Galicia transcurría en sus casas. Ahí celebraban reuniones, hacían negocios y jugaban damas chinas y naipes. Salían a la calle cuando había una festividad importante, como la fiesta dedicada a san Miguel Arcángel y el Paseo del Pendón, en la que reafirmaban su fidelidad al rey.

Por su parte, los indios, mestizos, mulatos y negros participaban en las fiestas populares. Entre las diversones que más disfrutaban estaban las corridas de toros y las carreras de caballos.

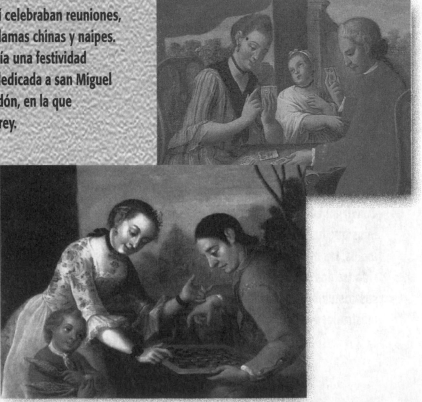

Vida cotidiana durante la Colonia

A Guadalajara llegaron a vivir altos funcionarios españoles y las familias más ricas de la región. Éstas se enriquecieron debido a que controlaban el comercio y el gobierno de los ayuntamientos. Todo ello llevó a que se construyeran edificios públicos y casas que cambiaron poco a poco el aspecto de la ciudad.

Durante la época colonial las actividades más importantes fueron el comercio, la agricultura y la ganadería. Los indios, los rancheros y los hacendados desarrollaron la agricultura. Las haciendas contaban con grandes extensiones de tierra y sistemas de riego, lo que las hacía productivas. Ahí se cultivaban el maíz, la caña de azúcar, el cacao, el algodón y el agave. A diferencia de las haciendas, las tierras de los indios y rancheros carecían de riego y producían poco, por lo cual se veían obligados a rentar tierras a los hacendados o a trabajar para ellos.

Un viajero describe los usos del maguey

Después del plátano y el maíz, cuya utilidad es más inmediata, el maguey o agave americano es el presente más precioso que la naturaleza haya hecho en México. Esta planta crece robusta aun en terrenos áridos. Tiene varios usos, de él se extrae el mezcal y el pulque, además se aprovecha una especie de melaza que sustituye al azúcar y sus hojas machacadas se utilizan como papel.

La parte fibrosa del maguey se emplea para los techos o bien, preparada como cáñamo, para cuerdas o para elaborar telas rústicas pero resistentes. Además, se aprovecha el hilo que se procesa de esta planta y que se conoce como hilo de pita, que es utilizado por los indígenas para tejer sus telas. Finalmente, las puntas de las hojas sirven como agujas y clavos.

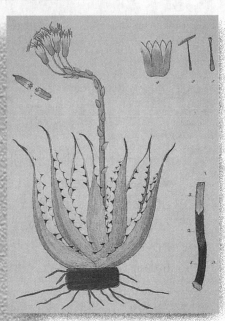

La ganadería creció rápidamente y abasteció el mercado de Zacatecas y Guanajuato con alimentos y artículos de cuero para el trabajo en las minas. La cría de caballos y mulas fue un buen negocio, pues estos animales eran muy apreciados en toda Nueva España. Por su parte, los indios se dedicaron a la crianza de cabras, ovejas y cerdos.

La minería tuvo auge en Nueva Galicia, al descubrirse las vetas de Zacatecas, y en el territorio que actualmente es Jalisco destacó la mina de Bolaños.

Trabajo en las minas

Comercio en la Colonia

Venta de productos agrícolas

Actividades

1. Recorre tu localidad y observa detenidamente las construcciones como iglesias, edificios y casas que sean de la época colonial. ¿Con qué materiales se construyeron? ¿Se utilizaron los mismos materiales y acabados que en la actualidad? Escoge una construcción que hayas observado y con los materiales que tengas a tu alcance como: hojas, colores, barro, plastilina, cal, masa o piedras, haz una maqueta. Presenta tu trabajo y coméntalo con tus compañeros.

2. Elabora una lista con las principales actividades que se desarrollaban en esa época.
• Identifica las que aún se practican en nuestro estado. ¿Qué nuevas actividades existen?

La vida a fines de la Colonia

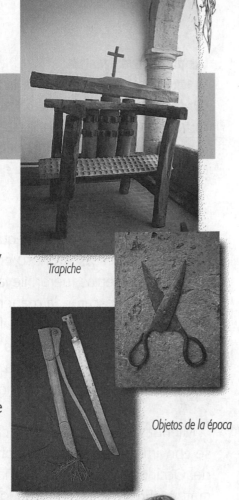

A fines de la Colonia, la vida en el territorio de Nueva Galicia cambió. La Corona de España dictó una serie de reformas, con el propósito de obtener mayores beneficios, y encargó a sus representantes ponerlas en práctica. Para ello, se impulsó el desarrollo de la agricultura, la industria y el comercio de la región, pero se limitó la participación de los habitantes en los puestos del gobierno local.

Trapiche

Para fomentar el comercio, se mejoraron y abrieron nuevos caminos, y se eliminó el pago de impuestos durante los primeros tres días de la feria de San Juan de los Lagos. También, se autorizó a los comerciantes de Guadalajara controlar el comercio de las principales ciudades del norte del Virreinato.

Objetos de la época

Con el desarrollo del comercio, se abrieron cientos de obrajes y talleres artesanales dedicados a la fabricación de tejidos, loza y productos de cuero. A su vez, las haciendas aumentaron su producción agrícola y ganadera; para abastecer a las poblaciones y a los talleres artesanales, emplearon las tierras que antes rentaban a los campesinos. A causa de ello, los campesinos no pudieron contar con los recursos suficientes para alimentar a sus familias, especialmente en época de malas cosechas.

Silla de montar de Sayula

Durante los últimos años de la Colonia, el virrey que gobernaba en Nueva España se preocupó porque los pueblos y ciudades estuvieran ordenados, limpios y sin vagos. Para ello, se prohibió tirar la basura o el estiércol en las calles, y se autorizó la matanza de perros callejeros, pues eran transmisores de enfermedades. También se redujo el número de fiestas religiosas. De esta forma, de los 36 festejos que se celebraban en los pueblos de Nueva Galicia, sólo se autorizó la celebración de nueve. Así la gente se mantendría ocupada.

Las primeras diligencias

En 1794 se estableció el servicio de diligencias entre Guadalajara y la Ciudad de México. El día 16 de cada mes, cuatro pasajeros salían rumbo a la capital del Virreinato, en un pequeño carro jalado por 12 mulas. Tardaban aproximadamente 12 días en llegar a su destino.

En 1786 hubo una gran sequía en la región. Los alimentos escasearon, su precio aumentó y las pocas reservas fueron llevadas a Guadalajara. A pesar de que muchos buscaron la manera de sobrevivir, comiendo tortillas hechas con el olote de la mazorca y nopales, el hambre ocasionó la muerte de muchas personas. Esta situación hizo que aumentaran los bandidos en la región y los enfrentamientos entre los pueblos por la posesión de la tierra.

Mientras esto sucedía en el campo, la ciudad de Guadalajara se convirtió en el centro económico y cultural más importante del Occidente de Nueva España. Se abrió la primera escuela gratuita. En 1793 se iniciaron los cursos de Medicina, Derecho y Cirugía en la Real y Literaria Universidad de Guadalajara. Por esos mismos años empezó a funcionar la primera imprenta, que publicó invitaciones, novenarios y folletos que difundían algunos acontecimientos de la ciudad.

Fray Antonio Alcalde, obispo de Guadalajara durante la Colonia. A él se debe la fundación de la Universidad y el Hospital de Belén

Antiguo Hospital de Belén, hoy Hospital Civil

Antigua Universidad de Guadalajara

Si bien los comerciantes y los hacendados criollos se beneficiaron económicamente de estos cambios, no podían ocupar los puestos más importantes en el ejército, la Iglesia y el gobierno. Esta situación provocó el malestar entre algunos de ellos. De esta manera, a finales de la Colonia, las diferencias sociales entre campesinos, comerciantes, hacendados y autoridades españolas fueron cada vez mayores.

Vida pública a fines del siglo XVIII

Funcionario real de fines del siglo XVIII

La feria de San Juan de los Lagos

Cada diciembre, la feria de San Juan de los Lagos atraía a los principales comerciantes de Nueva España. Además del alboroto que producían la música, las mulas y los cerdos que se vendían, se podían encontrar mercancías provenientes de toda Nueva España, así como de Asia y Europa. No faltaban las frutas y cañas de Atotonilco, los canastos y petates de tule de Temacapulín, los sombreros de paja de Mechoacanejo, las sillas de montar de Jalostotitlán, los trabajos en hueso de Teocaltiche, los tejidos de algodón y seda de San Juan de los Lagos y la loza de Santa María y Tlaquepaque.

Actividades

1. Lee "Las primeras diligencias" y pregunta a tus padres o personas mayores, ¿cuánto tiempo se hace de Guadalajara a la Ciudad de México en autobús? Compara el tiempo de recorrido de una diligencia con el actual y reflexiona: ¿a qué se debe esa diferencia?

2. Imagina que eres un comerciante que asiste a la feria de San Juan de los Lagos, ¿qué productos venderías? ¿Cómo describirías el ambiente que se vivía en esos días? En tu cuaderno realiza un dibujo de esta feria.

El movimiento insurgente en Nueva Galicia

Durante los últimos años de la época colonial, las condiciones de vida de la población empeoraron. Las diferencias entre criollos y españoles fueron cada vez mayores.

Algunos criollos y mestizos, descontentos con esta situación, empezaron a reunirse y organizaron varias conspiraciones que no tuvieron éxito. Hasta que la madrugada del 16 de septiembre de 1810, Miguel Hidalgo y Costilla llamó a la gente del pueblo de Dolores, localidad ubicada en el actual estado de Guanajuato, a levantarse en armas. De esta manera se inició la guerra de Independencia.

Miguel Hidalgo y Costilla

José Antonio El Amo Torres

Muy pronto, este movimiento se extendió por Nueva España y logró reunir a un gran ejército, al que se le llamó Insurgente. En lo que hoy es nuestro estado, Toribio Huidobro y José Antonio, *El Amo* Torres, organizaron a la población. Huidobro encabezó un grupo de rebeldes que recorrieron Jalostotitlán, Arandas y Atotonilco. En las cercanías de La Barca, derrotaron a las tropas realistas. Por su parte, *El Amo* Torres, al mando de unos tres mil campesinos armados con piedras, palos y hondas se desplazaron por Sahuayo, Tizapán el Alto, Atoyac y en Zacoalco derrotaron al ejército español.

El grito de Independencia en Colotlán
A fines de septiembre de 1810, el cura Calvillo organizó un baile en su casa y dio instrucciones secretas a sus seguidores para que se presentaran armados con palos, garrotes, flechas y machetes. A medianoche todos salieron llevando en el sombrero la imagen de la virgen de Guadalupe y gritaban "viva la independencia y mueran los gachupines".

Con estas victorias, el ejército del *Amo* Torres pudo tomar fácilmente Guadalajara. A pesar del temor que existía, las tropas de Torres entraron a esta ciudad, sin llevar a cabo saqueos en contra de la población.

Mientras que en Nueva Galicia el movimiento de Independencia lograba importantes triunfos, en otras partes del país los insurgentes sufrían algunas derrotas. Hidalgo decidió entonces trasladarse a Guadalajara para reorganizar su ejército y continuar la lucha.

El 26 de noviembre de 1810, Miguel Hidalgo y su numeroso ejército fueron recibidos entusiastamente por la población de Guadalajara. Ahí, Hidalgo expidió una serie de decretos en favor de los indios, castas y negros, donde abolió la esclavitud y suprimió el pago de tributo, que era un impuesto que los indios y las castas daban al rey, desde los primeros años de la Colonia. Asimismo, mandó publicar en la imprenta de la ciudad, *El Despertador Americano,* periódico que difundió las ideas y los triunfos del movimiento insurgente.

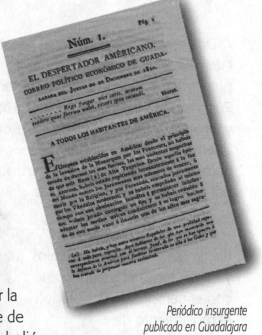

Periódico insurgente publicado en Guadalajara

Algunas de las armas usadas en la guerra de Independencia

Carta del cura José María Mercado, dirigida a su padre
Señor don José Mercado. Guadalajara.
Señor Padre:
Un maduro examen me llevó a unirme a la causa de Hidalgo, que es la liberación de Nueva España del dominio de la Corona española. Os espero, venerable padre, en las filas de esta causa. Pero si vuestra avanzada edad y escasa salud lo impidiesen, bendecidme de todo corazón. A vuestros pies. Ahualulco a dos de noviembre de mil ochocientos diez.
José María Mercado.

El movimiento insurgente en Nueva Galicia

| Se inicia la guerra de Independencia | Hidalgo prohíbe la esclavitud | | | | | | | | | | Consumación de la Independencia |

| 1810 | 1811 | 1812 | 1813 | 1814 | 1815 | 1816 | 1817 | 1818 | 1819 | 1820 | 1821 |

Hidalgo entra a Guadalajara

Batalla en el Puente de Calderón

El Amo Torres es fusilado

Rebelión encabezada por Pedro Moreno

Dos meses después de su llegada a Guadalajara, el ejército Insurgente fue nuevamente derrotado. Esta vez en Puente de Calderón, por lo que Hidalgo y algunos de sus dirigentes tuvieron que huir hacia el Norte. Al poco tiempo, fueron capturados y fusilados por las autoridades españolas.

Puente de Calderón, cerca de Zapotlanejo

A la muerte de estos dirigentes, José María Morelos y Pavón tomó el mando, pero con el tiempo fue derrotado y el movimiento de Independencia quedó debilitado y disperso. En las distintas regiones de la provincia de Nueva Galicia, los insurgentes, en lugar de organizar grandes ejércitos,

Mesones y casas particulares en donde se albergaba la gente que se unía al movimiento insurgente

participaron en pequeños grupos de combatientes o guerrillas, que atacaban sorpresivamente a los pueblos y las haciendas. Muchos de estos grupos estaban formados por parientes, pues así era más fácil mantenerse en secreto y ocultarse de las autoridades españolas, que castigaban duramente a quien se oponía a su gobierno.

Monedas de la época

En Nueva Galicia destacó Pedro Moreno, quien organizó a un grupo de guerrilleros que lucharon en favor de la Independencia y dominaron parte de la zona del Bajío y la región de Los Altos. Esta guerra continuó durante varios años hasta que, en 1821, los insurgentes y los realistas llegaron a un acuerdo para proclamar la independencia. En Nueva Galicia, los miembros del ejército realista, del gobierno provincial y del clero apoyaron esta medida; al cabo de un corto tiempo, varios pueblos celebraron la independencia de Nueva España.

Pedro Moreno, valiente insurgente en cuyo honor la ciudad de Lagos lleva su apellido

José María Morelos y Pavón

Estandarte de las
tropas de Morelos

Periódico editado en Guadalajara,
en favor del gobierno virreinal

EL TELÉGRAFO
DE GUADALAXARA.

Pág. I.

Semanario político del Lunes 27 de Mayo de 1811.

Nes te fallant animi sub vulpe latentes.
Horat.

AL EXCELENTISIMO SEÑOR D. FRAN-
cisco Xavier Venegas de Saavedra, Rodri-
guez de Areñaña, Guemes, Mora, Pacheco, Da-
za, y Maldonado, Caballero del Orden de Cala-
trava, Teniente General de los Reales Exércitos,
Virey, Gobernador y Capitan general de esta
N. E. Presidente de su Real Audiencia, Supe-
rintendente general Subdelegado de Real Hacienda, Minas, Azogues y Ramo del Tabaco,
Juez conservador de éste, Presidente de su Real
Junta, y Subdelegado general de Correos en el
mismo Reyno.

Exmô. SEÑOR.

La mujer del fuerte

Rita Pérez fue la esposa del jefe insurgente Pedro Moreno. Ella, al igual que otras mujeres, decidió participar en la guerra de Independencia. Rita se encargaba de cocinar y repartir diariamente la comida, así como de curar y atender a todos los soldados insurgentes que combatían en el fuerte Del Sombrero. Durante la guerra, Rita perdió a su esposo y a algunos de sus hijos. Ella fue encarcelada varios años y cuando salió libre se trasladó a San Juan de los Lagos, donde permaneció hasta su muerte, en 1861.

Actividades

1. Escribe una noticia donde relates algún acontecimiento que te haya llamado la atención sobre el movimiento de Independencia. Junto con tus compañeros elaboren un periódico mural.

2. Describe en tu cuaderno cómo se festeja el inicio de la guerra de Independencia en tu comunidad. Haz un dibujo que ilustre tu relato. Coméntalo con tu maestro y compañeros.

La formación del estado de Jalisco

Los primeros años de vida independiente fueron difíciles para nuestro país, pues no había acuerdo entre sus habitantes sobre cómo debían gobernarse. En un primer momento se estableció una monarquía, pero al cabo de unos meses fracasó. Más tarde, se convocó a un congreso nacional, el cual se encargaría de elaborar una constitución que reorganizara al país.

Las opiniones de los mexicanos se dividieron, algunos pensaban que la república central era la mejor opción, pues las decisiones del país serían determinadas directamente por el presidente de la República. Otros querían el establecimiento de una república federal, donde las entidades pudieran elegir libremente a sus gobernantes y determinar la manera de administrar su territorio.

Los jaliscienses apoyaban el establecimiento de una república federal. En octubre de 1824, el Congreso Constituyente promulgó la Constitución del país. En ella se estableció como forma de gobierno la República representativa, popular y federal. Jalisco era uno de los 19 estados soberanos que la integraban. En noviembre de ese año se publicó la primera Constitución de nuestra entidad.

Antigua sede del Congreso del estado. Palacio de Gobierno

Los jaliscienses celebraron la creación del estado. Durante tres días, Guadalajara estuvo decorada e iluminada; por las tardes se realizaron desfiles y conciertos, y por las noches serenatas en la plaza principal.

En esta Constitución se estableció que la ciudad de Guadalajara sería la capital del estado. Prisciliano Sánchez fue el primer gobernador de Jalisco. Entre sus acciones destacó establecer la educación pública y gratuita. En los municipios se fundaron escuelas de primeras letras, donde se enseñaba a los niños a leer, a escribir, a contar y religión. Más tarde se estableció un instituto de educación superior en Guadalajara.

Una de las dificultades que enfrentó el gobierno de nuestro estado en esos años fue la falta de dinero para realizar los proyectos propuestos por el gobernador. Se dispuso entonces que la Iglesia pagara impuestos. Esta medida fue rechazada por la Iglesia y algunos grupos que la apoyaron. Ante esto, el gobierno del estado decidió no aplicarla.

Prisciliano Sánchez, primer gobernador de Jalisco

Años más tarde, en 1833, el gobierno federal promulgó leyes que limitaban la participación de la Iglesia en la educación. Esta medida también provocó el descontento de varios grupos de la población en distintas partes del país.

Descripción de los portales de Guadalajara a principios del siglo XIX

Los portales presentaban durante el día un espectáculo de lo más animado, tenían el aspecto de una feria continua. Ahí se encontraban los objetos más diversos. Cerca de la rica mercería, donde se mostraban artículos de lujo traídos de Europa, había una vendedora la cual, con la misma mano que cobraba, preparaba el atole, la limonada y otras bebidas.

La lucha entre centralistas y federalistas que dividió a los mexicanos continuó en los años siguientes. Para 1846, nuestro país fue invadido por el ejército de Estados Unidos de América. Los jaliscienses se prepararon para la defensa ante un posible desembarco de las tropas invasoras en el puerto de San Blas, y organizaron juntas patrióticas que estuvieran listas para el combate. Como resultado de esa guerra, México perdió más de la mitad de su territorio.

El batallón de San Blas
Durante la invasión estadounidense, Jalisco participó en la defensa de nuestro país con el batallón de San Blas, al mando de Felipe Santiago Xicoténcatl, combatiendo a los invasores en la batalla librada en Chapultepec. En ese lugar, al ocurrir el asalto al H. Colegio Militar, perdió la vida el joven cadete Francisco Márquez, jalisciense nacido en Guadalajara.

México en 1824

1. Territorio de Alta California
2. Territorio de Baja California
3. Sonora y Sinaloa
4. Territorio de Nuevo México
5. Chihuahua
6. Coahuila y Tejas
7. Durango
8. Zacatecas
9. Nuevo León
10. Tamaulipas
11. Jalisco
12. San Luis Potosí
13. Guanajuato
14. Querétaro
15. Veracruz
16. Territorio de Colima
17. Michoacán
18. México
19. Tlaxcala
20. Puebla
21. Oaxaca
22. Tabasco
23. Yucatán
24. Chiapas
25. Soconusco

Actividades

1. Calca con cuidado el mapa del territorio de Nueva Galicia, de la página 98 y compáralo con el mapa de esta lección.
- Además de Jalisco, ¿qué otros estados se formaron en el territorio que ocupaba la provincia de Nueva Galicia?
- Coméntalo con tus compañeros.

2. Lee con atención el recuadro sobre la descripción de los portales y reflexiona.
- ¿Qué consecuencias tiene para la salud la forma de actuar de la vendedora?
- ¿Qué medidas se deberían tomar?
  Puedes consultar tu libro *Ciencias Naturales. Tercer grado*, páginas 102 a 105.

La vida en Jalisco durante la primera mitad del siglo XIX

En las primeras décadas del siglo XIX, el país vivió diversos acontecimientos que modificaron la vida de sus habitantes: la guerra de Independencia, los constantes cambios de gobierno, la intervención estadounidense y las frecuentes epidemias de cólera y viruela que causaron la muerte de miles de personas.

Casa de Caridad, hoy Instituto Cultural Cabañas

En Jalisco, las tierras de cultivo y las minas quedaron abandonadas, lo que ocasionó que la gente se trasladara en busca de trabajo a las poblaciones más importantes de la entidad, como Guadalajara, Lagos, La Barca, Sayula y Etzatlán. Sin embargo, no había oportunidades para todos y la falta de empleo incrementó el número de delincuentes y salteadores en los caminos. En esta época, las mercancías eran transportadas a lomo de mula, y las malas condiciones de los caminos hacían lento el traslado.

Arrieros

El comercio en Guadalajara

Los comerciantes de Guadalajara, para no ser asaltados, ya no exhibían en los aparadores las lujosas mercancías, sino que las ofrecían en el interior de sus tiendas y cerraban en cuanto anochecía. Sólo las tiendas de abarrotes permanecían abiertas por más tiempo.

Las corridas de toros

Las corridas de toros se organizaban en cualquier época del año y no existía un lugar especial para realizarlas. Se construía un ruedo de madera que se desmontaba al término de cada función. Para motivar la asistencia del público se paseaba a los toros por las principales calles del pueblo.

En estos años, la autoridad del padre era determinante en la organización de la familia, él decidía con quién y cuándo se debían casar las hijas o el oficio al que se dedicarían los hijos.

Las casas de las familias más ricas eran de un solo piso con amplios salones y dos o tres patios. Allí se organizaban veladas donde los adultos jugaban a las cartas, las mujeres charlaban en tono alto y los jóvenes tocaban algún instrumento musical, cantaban o contaban chistes y leyendas.

La moda y objetos personales del siglo pasado

Para recaudar fondos que contribuyeran a mejorar los servicios del pueblo, se organizaban corridas de toros y funciones de teatro, que se presentaban en patios, calles y plazas. Con el dinero obtenido se arreglaba el empedrado de algunas calles y se mejoraban los caminos.

Vaqueros de Jalisco en el siglo XIX

Recibo de arrieros

Otras de las fechas memorables de esa época, que se esperaban con gran entusiasmo, eran las fiestas religiosas. Los balcones de las casas se engalanaban con adornos. Autoridades civiles, religiosas y el pueblo asistían a las procesiones que recorrían las principales calles. En estas celebraciones se presentaban las danzas de la conquista y los juegos pirotécnicos.

Fichas para comprar en las tiendas de raya

Función de teatro al aire libre

Alrededores de Guadalajara en un grabado de mediados del siglo pasado. Al fondo se aprecia la ciudad

La cocina de antes

Para el desayuno y el almuerzo se tomaba té de hojas de limón o de naranjo; chocolate o champurrado los ricos, y atole blanco el resto de la población. Huevos con chile, frijoles, camote o calabaza con leche y café. En la comida, se servía sopa, caldo de res o carne con chile, frijoles refritos y todas las tortillas que se quisieran. La cena era casi igual que el desayuno y el almuerzo, aunque algunos comían pozole, tamales, sopes o gorditas con atole.

Actividades

1. Escribe en tu cuaderno cuáles son las actividades que realiza tu familia en el tiempo libre. Compáralas con las que se practicaban en la entidad en las primeras décadas del siglo pasado.

- ¿Qué diferencias encuentras? Coméntalas en tu grupo.

2. Lee con atención el recuadro de "La cocina de antes" y fíjate en la ilustración que aparece en la lección.

- ¿Las personas de ese tiempo tenían la misma alimentación que tú? ¿La ilustración de la cocina se parece a la de tu casa? ¿Se siguen ocupando los mismos utensilios? ¿Qué cambios identificas? Comenta tus respuestas con tus compañeros.

La Guerra de Reforma en Jalisco

La guerra entre los centralistas y los federalistas se mantuvo, aun después de que México perdió parte de su territorio. Los primeros formaron el partido conservador, en tanto que los otros organizaron el partido liberal.

Los conservadores querían un gobierno central y mantener sus privilegios, asegurar el control de la educación y conservar, como única, la religión católica.

En cambio, los liberales pensaban que era necesario terminar con los privilegios de la Iglesia, así como vender sus propiedades y las tierras de las comunidades indígenas. También querían establecer las libertades de comercio, trabajo y religión.

Benito Juárez

Constitución de 1857

Territorio ocupado por liberales y conservadores

Liberales

Conservadores

Las liberales y las conservadoras

Las señoras, en los bailes y las reuniones, para hacer notar que estaban a favor de los liberales se ponían zapatos rojos y un prendedor con forma de hacha que simbolizaban la libertad. En cambio, aquellas que estaban a favor de los conservadores, usaban zapatos verdes y prendedores en forma de cruz.

En Jalisco, al igual que en todo el país, liberales y conservadores se enfrentaron. Hubo combates en Guadalajara, Zapotlán, La Barca y Autlán. Los liberales obtuvieron la victoria y organizaron el gobierno en la Ciudad de México. Una de sus primeras medidas fue autorizar la venta de tierras ociosas, lo cual afectó por igual a las propiedades de la Iglesia y de las comunidades indígenas. También convocaron a los mexicanos a formar el Congreso Constituyente. Después de un año de debates, se aprobó la Constitución de 1857. Con ella, nuestro país quedó organizado nuevamente en una República federal y se estableció la igualdad de todos los ciudadanos, la libertad de enseñanza y de imprenta.

Liberales y conservadores defendían sus ideas en periódicos

Soldados de la Guerra de Reforma

Al conocerse este acontecimiento, los habitantes de Guadalajara adornaron sus casas y las calles en señal de regocijo. Pero no todos participaron de este júbilo; hubo quienes manifestaron su descontento porque consideraron que esas leyes afectaban a la Iglesia. Para algunos campesinos significó la pérdida de sus tierras y montes.

La Guerra de Reforma en Jalisco

Se inician las sesiones en el Congreso

Promulgación de la Constitución

Se expiden las Leyes de Reforma

Triunfo liberal

Guerra de Reforma

| 1856 | 1857 | 1858 | 1859 | 1860 |

Juárez llega a Jalisco

Santos Degollado y Pedro Ogazón organizan la resistencia contra los conservadores

Estas medidas ocasionaron disturbios en Lagos, San Juan, La Barca, y en Tepic; los indígenas, encabezados por Manuel Lozada, conocido como *El Tigre de Álica*, se rebelaron.

En varias zonas del país los conservadores desconocieron la Constitución. Todo esto llevó a una nueva lucha conocida como la Guerra de Reforma o de Tres Años.

Los liberales jaliscienses se organizaron para defender la Constitución y en las principales poblaciones de nuestro estado convocaron a los habitantes a levantarse en armas. Las autoridades, junto con los gobiernos de Aguascalientes, Colima, Guanajuato, Guerrero, Michoacán, Querétaro y Zacatecas se unieron y formaron un ejército que apoyaba al presidente Benito Juárez.

Benito Juárez y su esposa, Margarita Maza

La capital mexicana fue ocupada por los conservadores y Juárez trasladó su gobierno a la ciudad de Guadalajara en 1858. Después de un mes, los liberales de Jalisco fueron vencidos, por lo que Juárez y sus ministros se trasladaron a Manzanillo. La defensa de nuestro estado quedó a cargo de los liberales Santos Degollado y Pedro Ogazón.

Santos Degollado

Antes de salir de Guadalajara, Juárez y su gabinete fueron aprehendidos por un grupo de soldados que tenían orden de fusilarlos. Cuando se disponían a disparar, se oyó al liberal Guillermo Prieto gritar: "¡Levanten esas armas! ¡Los valientes no asesinan!" Con ello impidió que fusilaran a Juárez.

La vida en las escuelas de Jalisco a mediados del siglo XIX

Los niños y las niñas asistían a diferentes escuelas, y en caso de que los salones de clase estuvieran en el mismo edificio, se construían puertas especiales para evitar que hubiera comunicación entre ellos. El horario escolar era de ocho a once, por la mañana, y de dos a cinco, por la tarde. Los sábados, la hora de la salida era a las cuatro de la tarde. En la escuela se enseñaba a escribir y a leer, así como gramática y urbanidad; es decir, la forma de comportarse en sociedad. Los niños aprendían el mundo de los números y las niñas a coser y a bordar. Para corregir a los alumnos que eran platicadores, mentirosos, peleoneros o desaseados, el maestro colgaba en sus cuellos un letrero que indicaba la falta cometida, y colocaba orejas de burro a los que no aprendieran la lección.

Durante la Guerra de Reforma, Jalisco fue escenario de importantes batallas. Guadalajara fue sitiada varias veces y parte de sus edificios fueron destruidos. La población padeció hambre y epidemias. En el campo, la mayoría de las tierras de cultivo fueron abandonadas. La Iglesia también resultó afectada en sus recursos económicos, que fueron utilizados para sostener la guerra.

Los liberales derrotaron a los conservadores. Así, Juárez regresó a la Ciudad de México y estableció su gobierno en 1861.

Asalto a Guadalajara en 1860

Carroza utilizada por Benito Juárez

Objetos personales de Juárez

A pesar de los problemas que vivió el país en esos años, en nuestra entidad, Guadalajara siguió siendo el centro comercial más importante del Occidente de México. En esta ciudad se vendían productos como azogue, canela, seda y loza fina. Se trajo algodón despepitado, por lo que se abrieron algunas fábricas textiles, como La Caja de Agua y La Experiencia. La instalación de telares mecánicos sorprendió a muchos, debido a la rapidez con la que trabajaban.

A mediados del siglo pasado, en nuestra entidad se inauguró una línea de diligencias entre Guadalajara y el puerto de San Blas; gracias a ella, se redujo el tiempo y el costo en el traslado de pasajeros. Asimismo, se mejoraron los principales caminos que conducían a Tepic, Talpa, Zapopan, Zapotlán y Tepatitlán.

Foto de las hijas de Juárez. Entre ellas aparece Matías Romero

Jacobo Gálvez introdujo en 1853, la primera cámara fotográfica en Jalisco

Actividades

1. Elabora una representación de teatro guiñol sobre algún acontecimiento de esta época. Con ayuda de tu profesor, selecciona los personajes y escribe un pequeño diálogo. Para hacer los guiñoles, puedes emplear bolsas de papel, calcetines o tu propia mano. Las ilustraciones y el texto de la lección te pueden servir para tener una idea de cómo hacer la escenografía.
Preséntala ante tu grupo.

2. Lee con atención el recuadro "La vida en las escuelas de Jalisco a mediados del siglo XIX" y contesta: ¿qué diferencias y semejanzas encuentras entre las escuelas de esa época y las de hoy? Escribe tu respuesta y todos comenten sobre la forma empleada por los profesores para corregir a sus alumnos.

La intervención francesa en Jalisco

Al poco tiempo de finalizada la Guerra de Reforma, México vivía una situación económica difícil, lo que provocó que el gobierno de Juárez suspendiera los pagos de las deudas contraídas con Francia, Inglaterra y España. Barcos de guerra de esos países llegaron al puerto de Veracruz, con el propósito de exigir los pagos atrasados. Después de algunas pláticas, los representantes de los gobiernos español e inglés acordaron retirarse; no así los franceses, que decidieron invadir nuestro territorio.

Dibujo a lápiz de Maximiliano y Carlota en un pañuelo de seda

Con el apoyo de los conservadores, el ejército francés desembarcó en Veracruz en 1862, con el propósito de establecer un gobierno dirigido por un rey. Los conservadores ofrecieron el trono a Maximiliano de Habsburgo. Después de un año de lucha, los franceses llegaron a la Ciudad de México y, una vez tomada la capital, el ejército invasor salió rumbo a Guadalajara.

Entrada de las tropas francesas a la ciudad de Guadalajara

En nuestra entidad, Ignacio L. Vallarta convocó a los jaliscienses a luchar en contra del ejército francés. Los liberales que se encontraban en Guadalajara se refugiaron en el sur del estado para organizar la resistencia. En enero de 1864, las tropas extranjeras, al mando del general Bazaine, entraron a nuestra capital. La población observó silenciosamente su llegada.

Ejercicios en globo

El día de ayer, 7 de enero de 1865, Tranquilino Alemán, sin llevar en su globo más que un trapecio y una cuerda, realizó, ante la vista de la concurrencia, difíciles ejercicios gimnásticos. El globo, que subió a más de 182 metros de altura, permaneció en el aire alrededor de 15 minutos. En ese breve tiempo, Alemán ejecutó gran variedad de juegos y ejercicios, que asombraron a los ahí presentes. Ésta fue la primera vez que se presenció la elevación de un globo en Guadalajara.

Pinturas de algunas costumbres en ese tiempo. La Moreña. La Barca

Los franceses obligaron a las familias ricas de Guadalajara a hospedar en sus casas a los oficiales; a cambio, les ofrecieron un cargo público. Este hecho causó malestar entre algunos hacendados y comerciantes de Jalisco.

Objetos personales de Carlota y Maximiliano

Chinaco del centro de México

Mientras tanto, Maximiliano de Habsburgo llegó a la Ciudad de México y fue proclamado emperador. Gran parte de la población jalisciense defendía la causa liberal. Al mismo tiempo, el grupo conservador apoyaba la lucha de Manuel Lozada en nuestra entidad.

Manuel Lozada El Tigre de Álica

En Jalisco corrió la noticia de la posible visita de Maximiliano a Guadalajara; los conservadores y los jefes del ejército francés realizaron preparativos para recibirlo. Mandaron pintar las casas y reparar los edificios. Sin embargo, el emperador nunca llegó, debido a que los liberales controlaban los caminos que comunicaban a nuestra entidad con otros poblados y ciudades.

Los liberales vencieron a los franceses, y Maximiliano fue fusilado en Querétaro en 1867. A su muerte, Juárez y sus partidarios entraron triunfantes a la Ciudad de México.

Monedas conmemorativas de la República juarista

En Lagos de Moreno se construyó una de las primeras plazas públicas que imitaba a los jardines franceses

¿Sabías que el mariachi no tiene influencia francesa como muchos creen?
Por algunos testimonios, sabemos que desde antes de la llegada de los franceses ya existía el mariachi. Era un conjunto instrumental integrado sólo por violines y tambor. Con el tiempo, se incorporaron al grupo el guitarrón, la vihuela, la guitarra sexta y la trompeta.

Juárez emprendió acciones para reorganizar al país y alcanzar el orden y la tranquilidad. Para ello, negoció con Manuel Lozada la pacificación de los indígenas encabezados por él. Con tal motivo, dispuso la creación del Distrito Militar de Tepic, que dependería del presidente de la República.

Mujeres lavando en el río San
Juan de Dios

Prisioneros de las tropas
francesas

Actividades

1. Forma un equipo con varios de tus compañeros. Elaboren un noticiero histórico, para ello deberán escoger algunos sucesos que estudiaron en la lección. Piensen que muchas personas van a enterarse de lo que escriban. Guíate por el siguiente ejemplo:

Suceso histórico	Noticiero histórico
• El ejército francés que invadió a nuestro país llegó a la ciudad de Guadalajara.	Informamos a todos los jaliscienses que el ejército francés está por llegar a la ciudad. Se pide a todos los habitantes que se organicen para combatir a los invasores.

• Después, cada equipo dará a conocer las noticias a los compañeros del grupo.

2. Fíjate en las ilustraciones de la lección, comenta con tus compañeros: ¿qué observas? ¿Te sirvieron estas ilustraciones para saber más acerca de la intervención francesa? ¿Por qué?

35

El Porfiriato en Jalisco

A partir de 1876, Porfirio Díaz, general que destacó durante la intervención francesa, llegó a la presidencia de México. Díaz gobernó el país por más de 30 años y por ello a este periodo se le conoce como el Porfiriato. Durante su gobierno, hombres de negocios de otros países invirtieron en México su dinero, que se empleó en la industria y en la construcción de vías férreas.

En este periodo hubo varios gobernadores en Jalisco, quienes, al igual que el presidente Díaz, combatieron a los bandoleros y a todos aquellos que se oponían al gobierno. Francisco Tolentino fue electo gobernador en 1883 y duró cuatro años en su cargo. Se distinguió por promover y realizar obras públicas, como la ampliación de la red de agua potable, introducir los primeros tranvías, las lámparas de alumbrado eléctrico, las primeras líneas telefónicas y el establecimiento de la primera sucursal de un banco. En 1884, durante su gobierno, se separó el Cantón de Tepic del territorio de nuestro estado.

Porfirio Díaz

Comercios en la capital del estado

Primeras barredoras mecánicas en Guadalajara

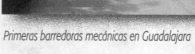

Posteriormente, el general Ramón Corona ocupó la gubernatura, aunque no contó con el apoyo de Díaz. Este gobernador fomentó las obras públicas, promovió la creación del Monte de Piedad y la construcción de un céntrico mercado que hoy lleva su nombre, fundó una caja de ahorros y favoreció el desarrollo de la educación pública.

Además, en 1888 se inauguró el ferrocarril México-Guadalajara, lo que favoreció la comunicación y el transporte con la capital del país. Con él, se redujo el viaje de tres o cuatro días a sólo 18 horas. Si bien la llegada del ferrocarril produjo una mejoría en el comercio, no benefició a todos y, por ejemplo, los negocios pequeños tuvieron que cerrar, pues no podían competir en precios con las grandes empresas del país. Debido a ello, el comercio se quedó en manos de unos pocos, en su mayoría extranjeros.

Invitación a un banquete ofrecido al presidente Porfirio Díaz

Familia del general Ramón Corona Madrigal

Tranvía de mulitas del siglo XIX

Hidroeléctrica La Casa Colorada

Primeros tranvías eléctricos que circularon en Guadalajara

Un año después, Corona fue asesinado. A partir de este suceso, Porfirio Díaz no tuvo oposición para imponer a los gobernadores en nuestra entidad, entre ellos a Luis C. Curiel, quien gobernó 11 años, y a Miguel Ahumada, que posteriormente ocupó el mismo cargo.

En este periodo se realizaron obras de gran importancia en Jalisco: se arreglaron los caminos, se embellecieron las ciudades, se adoquinaron calles, se construyeron parques y jardines, edificios públicos, monumentos y teatros.

Inauguración del ferrocarril a Guadalajara. Los tapatíos se congregaron para ver llegar el tren

Asimismo, se fomentó el desarrollo industrial y comercial; se otorgaron facilidades a extranjeros y mexicanos, dispuestos a emprender negocios como fábricas de hilados y tejidos, de loza y vidrio y molinos de grano. En 1890 se estableció en Guadalajara el primer cuerpo de bomberos.

La luz en Jalisco

La Compañía Hidroeléctrica e Irrigadora de Chapala fue la primera que proporcionó el servicio de luz eléctrica a la ciudad de Guadalajara, en 1893. Esta compañía aprovechó la caída de agua de El Salto de Juanacatlán para producir electricidad.

Mujeres comprando tela

Los portales de la ciudad capital a finales del siglo pasado

Sin embargo, debido a las sequías, hubo años en que algunas actividades disminuyeron su producción, como las industrias textil, aceitera, azucarera, tabacalera, jabonera, de papel y de calzado. Este hecho afectó principalmente a los obreros, y un número considerable de ellos se quedó de pronto sin empleo. A quienes lograban mantener su trabajo se les explotaba con un excesivo horario, no gozaban de descanso dominical ni de vacaciones; tampoco tenían asistencia médica.

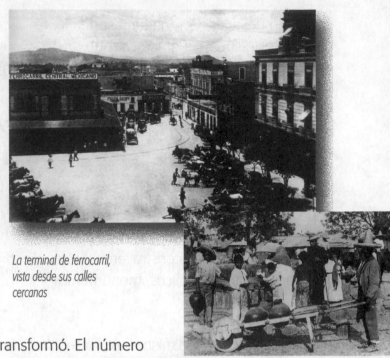

La terminal de ferrocarril, vista desde sus calles cercanas

Aguador

La situación en el campo también se transformó. El número de ranchos en manos de pocos propietarios había aumentado; las personas despojadas de sus tierras se convertían en peones de las haciendas, a cambio de bajos salarios. En 1895, en Jalisco había un peón por cada cuatro habitantes. Los peones se endeudaban en las haciendas, ya que en ellas funcionaban las tiendas de raya, donde los patrones vendían la mercancía a precios elevados.

Hacienda El Carmen. Ahualulco de Mercado

Monedas acuñadas en Guadalajara

Tienda de raya en el interior de una hacienda

Los principales cultivos eran el maíz y el frijol, y aunque la agricultura no contaba con maquinaria moderna, nuestro estado mantuvo el primer lugar como productor de granos y ganado en México. En 1909 la situación se agravó: las fuertes heladas y las sequías ocasionaron que la producción disminuyera, lo cual provocó escasez y aumento de precios. Los campesinos más pobres fueron los más afectados. De esta forma, el Porfiriato fue una época de contrastes, ya que el progreso sólo benefició a unos cuantos.

Fachada del cine Lux

El cine

Jorge Stahl instaló en la calle Maestranza, en Guadalajara, la primera sala de cinematógrafo llamada Salón Verdi. En ella se proyectaron cortometrajes del extranjero, y algunos realizados en Jalisco, tales como: *El paseo de los portales, Los patinadores y Salida de misa de doce.*

Tienda de comerciantes extranjeros

El Porfiriato en Jalisco

Díaz llega a la presidencia				Se inicia la Revolución
1870-1879	1880-1889	1890-1899	1900-1909	1910-1920

Se inaugura el ferrocarril México-Guadalajara

Se introduce la electricidad a Guadalajara

Se inaugura el Salón Verdi

Se organiza el primer cuerpo de bomberos

Empiezan a circular los tranvías eléctricos en Guadalajara

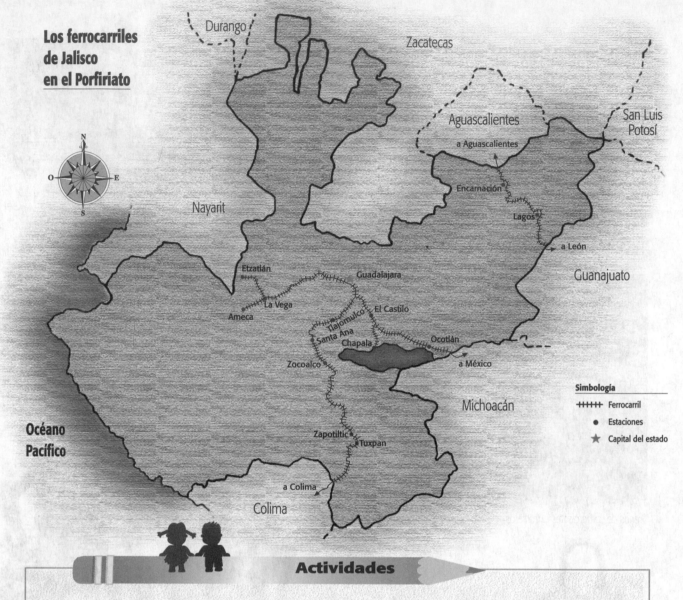

Los ferrocarriles de Jalisco en el Porfiriato

Durango

Zacatecas

Aguascalientes

a Aguascalientes

San Luis Potosí

Encarnación

Lagos

a León

Guanajuato

Nayarit

Etzatlán

Guadalajara

La Vega

El Castilo

Ameca

Tlajomulco

Santa Ana

Chapala

Ocotlán

Zocoalco

a México

Michoacán

Océano Pacífico

Zapotiltic

Tuxpan

Simbología

++++++ Ferrocarril

● Estaciones

★ Capital del estado

a Colima

Colima

Actividades

1. Hace un siglo no había energía eléctrica en tu estado ¿Has pensado cómo era la vida diaria sin luz en tu localidad?

• Realiza dos dibujos, uno de cómo te la imaginas sin luz y otro de cómo es ahora. Intercambia dibujos con tus compañeros; comenten la importancia de la energía eléctrica en la vida diaria.

2. Formen equipos y pregunten a un obrero, a un campesino y a un comerciante: ¿Cuántas horas trabaja al día? ¿Cuenta con servicio médico? ¿Tiene vacaciones? ¿Recibe un salario?

• Con la información que obtuvieron, comenten en tu grupo cuáles son las diferencias entre las condiciones de los trabajadores de hoy y de las que se vivieron en el Porfiriato.

• Escribe una lista acerca de los beneficios otorgados a los trabajadores en tu localidad.

3. Calca el mapa de la página 75 y compáralo con el de las rutas férreas de la lección.

• ¿Qué diferencias encuentras?

36

La Revolución en Jalisco

Francisco I. Madero

Durante los últimos años del Porfiriato, las condiciones de vida de los campesinos, obreros y artesanos jaliscienses habían decaído, y las manifestaciones de inconformidad eran reprimidas por las autoridades. No obstante, varios grupos continuaron expresando su descontento.

En 1908, el presidente Porfirio Díaz hizo público su deseo de retirarse del poder, y de que la población mexicana formara partidos políticos para participar en las elecciones de 1910. Algunos jaliscienses se organizaron y crearon el Club Político Pedro Ogazón, que propuso a Bernardo Reyes para que ocupara la vicepresidencia.

Los claveles rojos
La mayoría de la población jalisciense traía un clavel rojo como símbolo de su simpatía hacia el general Reyes. Los hombres lo llevaban en la solapa y las mujeres en el tocado.

Bernardo Reyes contaba con el apoyo de muchas personas, pero no con el de Díaz, quien lo obligó a rechazar su candidatura. Mientras tanto, en el norte del país Francisco I. Madero inició una campaña política como candidato a la presidencia. Entre sus principales propuestas estaban la no reelección y el respeto al voto.

Madero recorrió la República Mexicana con algunos de sus partidarios y visitó dos veces nuestra entidad, en donde fue recibido entusiastamente por la población. Los antiguos simpatizantes de Reyes también lo apoyaron.

Tropas revolucionarias

En Jalisco los villistas acuñaron monedas de cobre

Billetes del Banco de Jalisco usados entre 1914 y 1918

Las soldaderas
Durante la Revolución, a las mujeres que solían acompañar a sus hombres en la lucha se les llamó soldaderas. Ellas se encargaban de hacer comida, cuidar a los heridos y, en ocasiones, también participaban en las batallas.

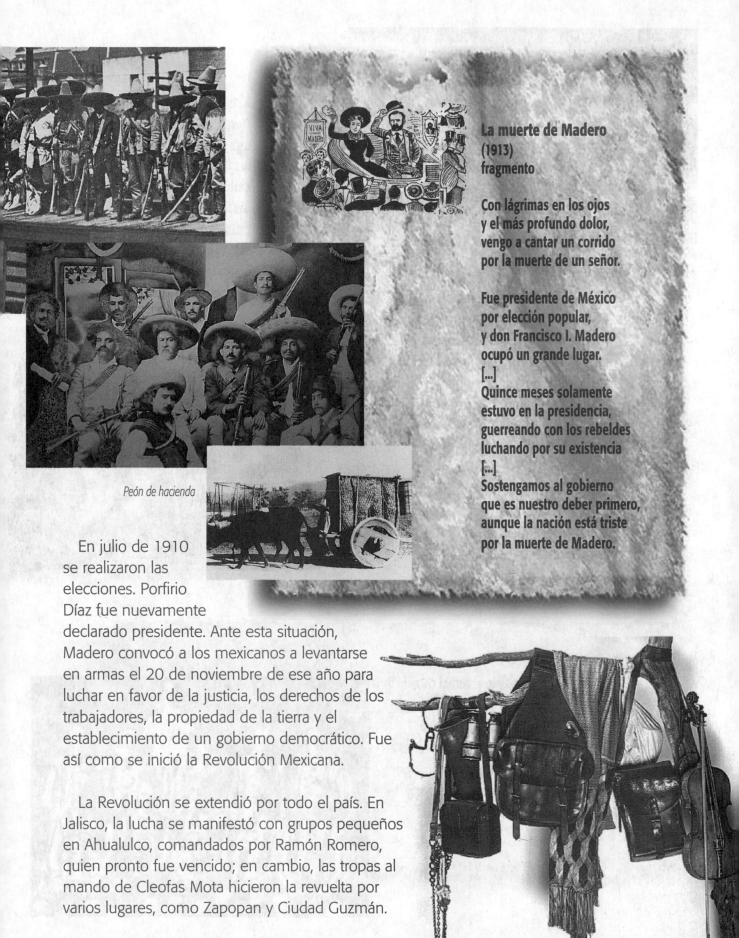

**La muerte de Madero
(1913)
fragmento**

Con lágrimas en los ojos
y el más profundo dolor,
vengo a cantar un corrido
por la muerte de un señor.

Fue presidente de México
por elección popular,
y don Francisco I. Madero
ocupó un grande lugar.
[...]
Quince meses solamente
estuvo en la presidencia,
guerreando con los rebeldes
luchando por su existencia
[...]
Sostengamos al gobierno
que es nuestro deber primero,
aunque la nación está triste
por la muerte de Madero.

Peón de hacienda

En julio de 1910 se realizaron las elecciones. Porfirio Díaz fue nuevamente declarado presidente. Ante esta situación, Madero convocó a los mexicanos a levantarse en armas el 20 de noviembre de ese año para luchar en favor de la justicia, los derechos de los trabajadores, la propiedad de la tierra y el establecimiento de un gobierno democrático. Fue así como se inició la Revolución Mexicana.

La Revolución se extendió por todo el país. En Jalisco, la lucha se manifestó con grupos pequeños en Ahualulco, comandados por Ramón Romero, quien pronto fue vencido; en cambio, las tropas al mando de Cleofas Mota hicieron la revuelta por varios lugares, como Zapopan y Ciudad Guzmán.

Campesinos con herramientas de trabajo

Luego de varios enfrentamientos, el ejército porfirista fue derrotado. Díaz renunció a la presidencia y posteriormente salió del país. Meses después se convocó a elecciones, y Francisco I. Madero resultó electo para ocupar la presidencia.

El gobierno de Madero enfrentó varios problemas. En Jalisco, los campesinos exigieron que las tierras de las haciendas se repartieran, mientras que los ferrocarrileros organizaron una huelga en la capital del estado para pedir aumento de salario y mejores condiciones de trabajo.

El futbol en Jalisco
A principios de este siglo el futbol comenzó a jugarse en los llanos de los parques Agua Azul, Alameda y Algodonales. Al poco tiempo se convirtió en el deporte favorito de los tapatíos, lo que dio lugar a la formación de clubes futboleros, como Guadalajara, Atlas, Colón y Nacional.

El gobierno de Madero duró poco tiempo, porque en 1913 fue asesinado, durante una rebelión que llevó a Victoriano Huerta a la presidencia de la República.

En el norte del país, el gobernador de Coahuila, Venustiano Carranza, no aceptó a Huerta como Presidente de la República. Para combatirlo, formó el Ejército Constitucionalista al que se unieron Francisco Villa y Álvaro Obregón entre otros. Tropas de este ejército, al mando de Obregón, llegaron a Jalisco por Nayarit y, tras derrotar a los soldados huertistas, entraron a Guadalajara. Con este triunfo, los revolucionarios avanzaron hacia la capital del país.

Despacho de Carranza

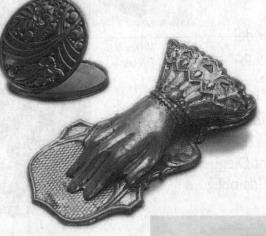

Venustiano Carranza

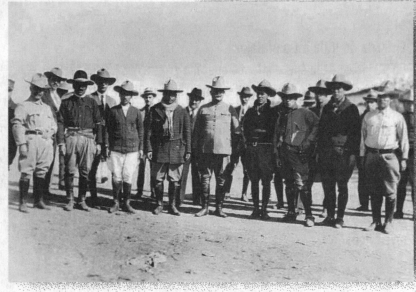

Tropas al mando de Álvaro Obregón llegaron a Jalisco

Los constitucionalistas, a su paso por Guadalajara, nombraron a Manuel M. Diéguez gobernador de la entidad. Durante su gobierno, Diéguez realizó importantes reformas: elaboró una ley agraria, fortaleció los municipios y autorizó a los ayuntamientos a ocupar edificios propiedad de la Iglesia como escuelas. Estableció que la educación fuera laica; es decir, que no tuviera influencia religiosa. Mejoró los sueldos de los maestros y empleados públicos, y creó la Escuela Preparatoria de Jalisco.

Obraje de la época

Debido a las diferentes opiniones que Carranza y Villa tenían acerca del rumbo que debía tomar el país, el Ejército Constitucionalista se dividió. En nuestra entidad, el gobernador Diéguez permaneció al lado de los carrancistas, y por esa razón Villa atacó nuestra capital. Diéguez trasladó su gobierno a Ciudad Guzmán, en tanto que Villa nombró a Julián Medina gobernador del estado. Ante esta situación, las reformas propuestas por el gobernador Diéguez no pudieron llevarse a cabo.

Manuel M. Diéguez

El ejército villista controló por varios meses la ciudad de Guadalajara. Los grupos católicos y las familias ricas que estuvieron en contra de las reformas decretadas por Diéguez apoyaron en un principio a Villa, pero cuando éste los obligó a otorgarle préstamos, le retiraron su ayuda.

Entrada de Villa a Guadalajara

Un periódico de la época informó que Villa y sus Dorados, nombre que se le dio a los soldados de su ejército, fueron recibidos con grandes ovaciones. Las mujeres agitaban sus pañuelos y los caballeros los saludaban con sus sombreros. Las campanas de las iglesias repicaron y gran parte de la población mostró su respeto ante la llegada del jefe revolucionario.

Cuando Villa fue derrotado por el Ejército Constitucionalista, Carranza convocó a un Congreso que se encargó de redactar una nueva Constitución, que fue promulgada en 1917, y es la que nos rige hasta nuestros días. Los principales artículos de la Constitución se refieren a las libertades de expresión y de religión, el derecho a la propiedad de la tierra, la igualdad de todos los mexicanos, el derecho a una educación laica, gratuita y obligatoria, el derecho al trabajo y la propiedad de la nación sobre aguas y tierras.

El Congreso Constituyente de 1917 jura la Constitución en Querétaro

En julio de ese año Diéguez nuevamente ocupó el cargo de gobernador; un mes después, se publicó en la entidad nuestra Constitución. La Iglesia desconoció esta ley debido a que afectaba sus intereses. Por esta razón, Carranza le propuso al gobernador Diéguez que temporalmente no se aplicaran los artículos relacionados con la libertad religiosa, pero esta medida no disminuyó el descontento.

Diputación constituyente de Jalisco con Venustiano Carranza

Años más tarde, el entonces gobernador de la entidad, José Guadalupe Zuno, de acuerdo con las ideas del presidente Plutarco Elías Calles, decidió limitar la participación de la Iglesia en los asuntos del gobierno. Este hecho dio lugar a un movimiento armado, conocido como la cristiada o rebelión cristera.

En Sayula, Mazamitla, y posteriormente en la región de Los Altos, se realizaron los primeros combates entre el ejército y los grupos católicos que se oponían a las disposiciones del gobernador.

José Guadalupe Zuno

Plutarco Elías Calles

Los enfrentamientos entre los cristeros y las tropas del gobierno duraron tres años. En 1929, el gobierno y la Iglesia celebraron acuerdos que permitieron establecer la paz.

La rebelión cristera en Jalisco

Al comienzo de la guerra, la población cristera decidió adquirir productos necesarios provenientes sólo de tiendas de católicos, no usar el coche, no comprar billetes de lotería ni asistir a los teatros, bailes o escuelas públicas.

Actividades

1. Lee con atención: "El escándalo de la moda" y contesta las siguientes preguntas en tu cuaderno: ¿existen diferencias entre la forma de vestir de antes y de hoy? ¿Se han modificado las actitudes y las formas de pensar de la gente ante los cambios de la moda?
- Comenta tus respuestas con el grupo.

2. Platica con tus familiares y pregúntales si conocen algún corrido que relate un acontecimiento de tu localidad durante la Revolución.
- Escríbelo e ilústralo en una hoja. Intercámbialo con tus compañeros.

3. Pregunta a tus abuelos o vecinos mayores si recuerdan algunos sucesos de la rebelión cristera, y lo que pasó después de que terminó esta guerra.
- Pídeles que te los platiquen, y escribe en tu cuaderno lo que consideres más interesante.
- En tu salón de clases, lee el texto a tus compañeros y reflexionen sobre las siguientes preguntas: ¿qué pasó en la localidad donde vives durante aquella época? ¿Cuánto tiempo ha pasado de esto? ¿Por qué es importante recoger estos testimonios de las personas mayores?

JALISCO HOY

5

Cascada Cola de caballo, *Dr. Atl*

Lección 37

Cultura, tradición y diversiones en Jalisco

Los jaliscienses tenemos una manera de ser que nos representa ante los demás, y que nos permite expresar nuestros pensamientos, emociones y sentimientos. Lo hacemos por medio de las fiestas, la música, las canciones, las danzas, las artesanías, las celebraciones familiares, y hasta en la comida. Esto es parte de la cultura y, día a día, participamos en ella, los hombres, las mujeres, las niñas y los niños que vivimos en este estado.

De Jalisco se dice que es un pueblo de artistas, aquí nacieron poetas como Enrique González Martínez, Francisco González León y Elías Nandino. Compositores como José Pablo Moncayo conocido internacionalmente por su *Huapango*. O bien novelistas como José López Portillo y Rojas, Mariano Azuela, Agustín Yáñez, Juan José Arreola y Juan Rulfo entre otros, quienes con sus obras le han dado prestigio a nuestro país.

Enrique González Martínez

Juan Rulfo

Mariano Azuela

Juan José Arreola

Agustín Yáñez

Lola Álvarez Bravo

144

En artes plásticas, tenemos distinguidos representantes, como la fotógrafa Lola Álvarez Bravo, Miguel Miramontes en escultura, y en pintura a Gerardo Murillo, conocido como Dr. Atl, Roberto Montenegro, Amado de la Cueva, María Izquierdo, Raúl Anguiano, Jorge Martínez, Gabriel Flores y José Clemente Orozco, el cual destaca por sus trabajos que se conservan en edificios públicos como el Instituto Cultural Cabañas, el Palacio de Gobierno y la Universidad de Guadalajara.

Sandías. *María Izquierdo*

Virgen niña. *Jesús Guerrero Galván*

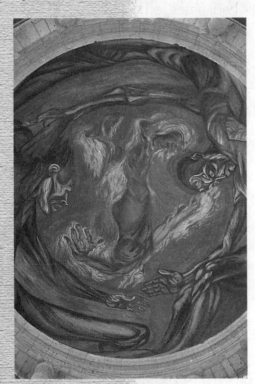

La vuelta a Francia. *Juan Soriano*

Hombre de fuego. *José Clemente Orozco*

Volcán de Colima. *Dr. Atl*

Autorretrato. *Dr. Atl*

145

En nuestra entidad hay celebraciones durante todo el año, por ejemplo, en mayo se conmemora el Día Internacional del Trabajo; en septiembre festejamos el inicio de la lucha por la Independencia y en noviembre, el comienzo de la Revolución Mexicana con un desfile deportivo.

Las celebraciones de júbilo y alegría se suceden en todas las regiones de Jalisco. No hay rumbo del estado donde no se realicen cada año fiestas que reúnen a todos los habitantes, en convivencia amistosa

Danza de los Tastuanes

Fiestas de octubre

para festejar con bailes, música, ferias, charreadas, corridas de toros, peleas de gallos, torneos deportivos, carreras de caballos, venta de antojitos, platillos típicos y serenatas. Algunas festividades se realizan con motivo del carnaval o el levantamiento de las cosechas agrícolas; otras, relacionadas con tradiciones religiosas, como la dedicada a la virgen de Zapopan, donde participan cientos de miles de personas en la peregrinación que se realiza en octubre.

El carnaval de Autlán

Se realiza durante el mes de febrero y empieza con el desfile del *entierro del mal humor,* en el que se invita a la gente a estar alegre y dejar la tristeza, a participar en las fiestas y asistir a la coronación de la reina. Se mantiene la costumbre del *toro de once,* porque a esa hora terminado el recibimiento de los visitantes, la gente se va a la plaza, donde los jóvenes muestran su valor montando a un toro.

Peregrinación de Zapopan

Nuestro estado cuenta con varios museos y bibliotecas, en donde se muestran la historia y las tradiciones de la entidad. Una de las actividades culturales más importantes es la Feria Internacional del Libro, la cual se realiza anualmente en Guadalajara, donde se pueden adquirir las publicaciones más recientes y se llevan a cabo actos culturales, como recitales y conferencias ofrecidos por escritores nacionales y extranjeros de gran prestigio.

Por otra parte, Jalisco tiene una gran riqueza de artesanías, reconocidas nacional e internacionalmente, entre ellas, el vidrio soplado, la cerámica de diferentes estilos y materiales, el trabajo en latón, el hierro forjado, el papel maché y la talabartería.

Telar

Artesanías

Las delicias de Jalisco

Los visitantes de nuestra tierra pueden disfrutar los platillos típicos como el pozole, la birria, el caldo michi, las tostadas y las picantes tortas ahogadas. Para acompañar estas delicias, nada mejor que las aguas frescas preparadas con jugosas frutas, o bien, una copa de nuestro tradicional tequila, que se logra de la planta de agave azul, la cual sólo se produce en Jalisco.

Y para quedar satisfechos, se pueden saborear cualquiera de los exquisitos dulces que se elaboran en nuestra región.

La gente se entretiene de diversas formas, asiste a plazas, parques deportivos, cines y centros de espectáculos, en donde puede disfrutar de obras de teatro, grupos de baile y danza, así como escuchar música; o en su casa, ver televisión y oír la radio. También se practican deportes como el beisbol, el basquetbol y el futbol en algunas canchas y estadios. El Club Guadalajara, conocido como *las chivas rayadas,* es uno de los equipos profesionales que cuenta con numerosos aficionados y ha sido campeón de torneos nacionales en varias ocasiones.

Otra de las aficiones de los jaliscienses es la charrería, en la que se hacen varios ejercicios y suertes, como son la cala de caballo, los piales en el lienzo, el coleador y el paso de la muerte, que es una de las de mayor peligro, porque el jinete tiene que cambiarse de un caballo manso, en pleno galope, a una yegua bruta que va en carrera desbocada; el jinete es ayudado por tres compañeros que arrean a las bestias para efectuar el llamado "paso mortal".

Una actividad de gran tradición
La charrería fomenta valores de amor a la patria, respeto a las personas y competencia leal. Entre los charros se han desarrollado expresiones muy propias como las siguientes: "aunque somos del mismo barro, no es lo mismo catrín que charro", y "para qué tantos brincos, estando el suelo tan parejo".

En estas tierras tuvo su origen el conjunto musical que mejor representa a los mexicanos. Ya lo dice la canción: *De Cocula es el mariachi, de Tecatitlán los sones*. Las notas del mariachi nos acompañan en todas las ocasiones con sones alegres como *El Carretero*, *La Negra*, *Las Alazanas*, *Las Olas* y tantos más, sin faltar el *Jarabe Tapatío*, donde bailarín y bailarina lucen la destreza de sus pasos.

Actividades

1. Investiga cuáles son las fiestas tradicionales de tu localidad. Contesta en tu cuaderno lo siguiente: ¿por qué motivo se celebran? ¿Cuándo se realizan? ¿Cómo se festejan? ¿Cómo participas en ellas?
- Comenta la información con tus compañeros.

2. Si en la comunidad donde vives existe una asociación de charros o personas que practiquen la charrería, ponte de acuerdo con tu maestra o maestro e invítenlos para que visiten tu escuela y les expliquen las tradiciones de esta actividad.

38

Jalisco hacia el siglo XXI

Nuestro estado ha cambiado mucho. Recordarás que durante el tiempo de la Colonia la gente hacía los viajes a la Ciudad de México en diligencias que tardaban más de 10 días en llegar a su destino.

Hoy, eso es parte de nuestra historia. A diferencia de entonces, nuestra entidad cuenta ahora con caminos, carreteras y modernas autopistas que permiten que el mismo viaje se haga en menos de siete horas. Además, Jalisco tiene una ventajosa ubicación en las rutas comerciales hacia el norte del país y a otras naciones, como Japón y China, dada su proximidad con el puerto de Manzanillo.

Interior de la biblioteca Iberoamericana

Panorámica del centro de Guadalajara

De igual manera, recordarás que desde hace muchos años la agricultura y la ganadería figuran entre las principales actividades que se realizan aquí. Claro que también han cambiado con el uso de maquinaria, la utilización de abonos, fertilizantes y el aprovechamiento de sistemas de riego. Gracias a ello, Jalisco se mantiene como el primer productor nacional de maíz, azúcar, leche y carne de aves.

Cosecha de alfalfa

Guadalajara es el centro industrial, comercial, bancario y de mayor actividad cultural de nuestra entidad; afortunadamente, otras ciudades comienzan a dar muestras de crecimiento en las distintas regiones, como por ejemplo: Lagos de Moreno, San Juan de los Lagos, Tepatitlán, Atotonilco, Ocotlán, Ameca, Tamazula, Ciudad Guzmán, Autlán, Sayula y el famoso Puerto Vallarta, visitado todo el año por turistas nacionales y extranjeros.

Industria lechera

Producción agrícola

Industria turística de Las Ánimas

El desarrollo de Jalisco es notable también en las actividades del corredor industrial que se extiende desde El Salto hasta Ocotlán; ahí funcionan más de 100 fábricas que producen fibras textiles, telas, medicinas, fertilizantes y abonos, plásticos, aparatos electrónicos para el hogar y la oficina, maquinarias y herramientas, entre otros. Estos productos se venden en el país y en distintos lugares del mundo, pero necesitamos que la calidad de los mismos sea cada vez mejor.

Son variadas las actividades productivas en el estado

Tan importante como las actividades económicas
es la educación, que contribuye al desarrollo y al
bienestar de las personas. Jalisco tiene más de 10 mil
escuelas en donde se atienden aproximadamente a
millón y medio de alumnos, desde el nivel básico
hasta las licenciaturas en Educación Normal. Además,
cada municipio cuenta con bibliotecas públicas. Para
el nivel superior, existen varias instituciones, como la
Universidad de Guadalajara, que ha extendido sus
servicios a diferentes regiones del estado, y otras
universidades particulares; asimismo, hay varios
centros de enseñanza técnica e industrial.

El desarrollo de la entidad durante las últimas
décadas se debe al trabajo de sus habitantes, pero
todavía este progreso no beneficia a todos. Existen
comunidades que no cuentan con agua potable o
electricidad, y donde las oportunidades de trabajo son
escasas. Ello ha
originado que la
población emigre a
otras ciudades de la entidad,
del país y de Estados Unidos
de América en busca de
mejores condiciones de vida.

Edificio de la Rectoría de la
Universidad de Guadalajara

Escuela rural

Benemérita y
Centenaria Escuela
Normal de Jalisco

Durante muchos años, en Jalisco, al igual que en el resto del país, los gobernadores y los presidentes municipales electos provenían, generalmente, del mismo partido político. En los últimos tiempos se ha iniciado un cambio en la entidad, ya que las elecciones se hacen más competidas. En las que se realizaron en 1995, el candidato de un partido de oposición ganó la gubernatura del estado; lo mismo ocurrió en otros municipios de la entidad, donde ganaron candidatos de diferentes partidos políticos.

Centros comerciales

Teatro Degollado

Una dolorosa experiencia

El 22 de abril de 1992 la ciudad de Guadalajara vivió una de las mayores desgracias ocurridas en su historia: más de ocho kilómetros de calles fueron destruidas por una gran explosión ocasionada por combustibles y gases acumulados mezclados con el agua del drenaje. Cientos de familias perdieron sus hogares, sus pertenencias y lamentaron el fallecimiento de seres queridos. En medio del dolor por estos hechos, la ayuda y colaboración de los jaliscienses se hizo presente para auxiliar a los damnificados.

Si bien nuestro estado ha logrado avances, aún enfrenta problemas. El desarrollo industrial y comercial debe promoverse en las regiones de la entidad, aprovechando los recursos naturales que tiene y así reducir la concentración de estas actividades en Guadalajara. Ello evitaría otros problemas de la capital, como el aumento de la contaminación, la sobrepoblación, la falta de empleos y oportunidades educativas, la insuficiencia de viviendas y, lamentablemente, la inseguridad pública.

A través de este libro has conocido la geografía y la historia de tu entidad. También los cambios que ocurrieron en el territorio y cómo los hombres y mujeres se han organizado para vivir en distintas épocas. El estudio de este libro te ha permitido entender el presente de tu estado. Tú y tu familia pueden contribuir para construir el futuro de Jalisco.

Como puedes darte cuenta, nos falta mucho por hacer. Se requiere que todos los jaliscienses participen. Todos podemos trabajar para que nuestro estado siga su progreso y avance hacia el próximo siglo. Es muy importante que tú colabores en esta tarea. ¡Vale la pena hacerlo! Trabaja con entusiasmo y alegría. Lo que tú hagas será un día la historia de Jalisco, que llenará de orgullo y satisfacción a los niños del porvenir.

Bibliografía de los recuadros

p. 95 Rosa Camelo, "Avance de la Conquista y la colonización", en *Historia de México,* t. V, México, Salvat, 1978, p. 1073.

p. 98 José López Portillo y Weber, *La rebelión de la Nueva Galicia,* México, Talleres Gráficos de la Nación, 1939, p. 95.

p. 100 José María Muriá, *Enciclopedia temática de Jalisco,* Historia, t. II, Guadalajara, México, Gobierno del estado de Jalisco, 1992, pp. 30-31.

p. 101 Ernesto de Vigneaux, *Viaje a Méjico,* Guadalajara, México, Ediciones del Banco Industrial de Jalisco, 1950.

pp. 102 y 103 Leopoldo Orendáin, *Cosas de viejos papeles,* t. III, Guadalajara, México, Centro Bancario de Guadalajara, 1970, p. 108.

p. 105 José Antonio Gutiérrez, *Los Altos de Jalisco. Panorama histórico de una región y de su sociedad hasta 1821,* México, Consejo Nacional para la Cultura y las Artes, 1991 (Regiones), pp. 294 y 301.

p. 106 Renato Haro, "La guerra de Independencia", en *Lecturas históricas del norte de Jalisco,* Guadalajara, México, Gobierno del estado de Jalisco, p. 213.

p. 107, 108 y 109 Salvador Gutiérrez Contreras, *José María Mercado. Héroe de nuestra Independencia,* Guadalajara, México, Gobierno del estado de Jalisco, Secretaría General, Unidad Editorial, 1985, p. 36.

p. 111 Ricardo Covarrubias, *Mujeres de México,* Monterrey, N.L., Gobierno del estado, 1974, pp. 75-79.

pp. 113 Isodore Loewestern, en Juan Iguíniz, *Guadalajara a través de los tiempos. Relatos y descripciones de viajeros y escritores desde el siglo XVI hasta nuestros días,* t. I, Guadalajara, México, Banco Refaccionario de Jalisco, 1950, pp. 162-169.

p. 114 José María Muriá (coord.), *Historia de Jalisco,* t. III, De la primera república centralista a la consolidación del Porfiriato, Guadalajara, México, Unidad Editorial del Gobierno del estado de Jalisco, 1981, p. 23.

pp. 115 y 116 Juan López, *Guadalajara,* Guadalajara, México, Ayuntamiento de Guadalajara, 1974, pp. 63-64.

p. 118 Luis Pérez Verdía, *Historia particular del estado de Jalisco,* t. III, Guadalajara, México, Univesidad de Guadalajara, 1991, p. 129.

p. 120 Agustín Rivera, *La Reforma y el Segundo Imperio,* México, Comisión Nacional para las Conmemoraciones Cívicas, 1993 (Anales Mexicanos), pp. 42-43.

p. 121 José María Muriá (coord.), *Historia de Jalisco.* De la primera república centralista a la consolidación del Porfiriato, t. III, Guadalajara, México, Unidad Editorial del Gobierno del estado de Jalisco, 1981, pp. 140-141.

p. 122 José Franco Cornejo, *Obras completas,* Guadalajara, México, Unidad Editorial del Gobierno del estado de Jalisco / Departamento de Bellas Artes, 1979, pp. 149-156.

p. 126 José Trinidad Laris, *Historia de modismos y refranes mexicanos. Origen y filosofía de algunos modismos. Proverbios y refranes de uso común en la República Mexicana y en particular en el estado de Jalisco,* Guadalajara, México, Jaime Fortino Editor, 1921, pp. 77-80.

p. 127 Magdalena González, "Música", en *Enciclopedia temática de Jalisco,* Arte, t. VII, Guadalajara, México, Gobierno del estado de Jalisco, 1992, pp. 157-159.

p. 131 José María Muriá, Cándido Galván y Ángela Peregrina, *Jalisco, una historia compartida,* México, Instituto de Investigaciones Dr. José María Luis Mora / Gobierno de Jalisco, 1987, p. 303.

p. 133 Leopoldo Orendáin, "Los inicios del cine", en José María Muriá *et al., Sociedad y costumbres. Lecturas históricas de Gudalajara,* t. II, México, Instituto Nacional de Antropología e Historia / Gobierno del estado de Jalisco / Universidad de Guadalajara, 1991, pp. 319-320.

pp. 135 y 138 Mario Aldana Rendón, *Jalisco desde la Revolución. Del reyismo al nuevo orden constitucional, 1917-1919,* t. I, Guadalajara, México, Gobierno del estado de Jalisco, 1987, pp. 81-82.

p. 136 Wolfgang Voght, *Jalisco desde la Revolución. Literatura y prensa 1910-1940,* t. VIII, Guadalajara, México, Gobierno del estado de Jalisco, 1987, pp. 21-22.

p. 140 Francis Patrick Dooley, *Los cristeros, Calles y el catolicismo mexicano,* México, Secretaría de Educación Pública (Sepsetentas, 307), pp. 66-76.

Créditos de iconografía

En la elaboración de este libro se utilizaron imágenes de las siguientes obras:

Agenda cívica 1992, México, Honorable Cámara de Diputados, LV Legislatura, 1992: **141.**

Artes de México: "El viajero europeo del siglo XIX", núm. 31, México, Artes de México: **126.**

"Diario de las expediciones a las Californias" de José Longinos, Salvador Bernabéu, Madrid, Doce Calles, 1994: **103.**

Dr. Atl. Conciencia y paisaje. 1875-1964, Jorge Hernández Campos *et al.,* México, UNAM / Dirección General de Difusión Cultural / INBA / Museo Nacional de Arte, 1985: **145.**

Escritores y artistas de México. Fotografías de Lola Álvarez Bravo, México, FCE, 1982: **144.**

Gahona y Posada, grabadores mexicanos, Francisco Díaz de León, México, FCE, 1968: **137.**

Guadalajara, historia de una vocación, Víctor Hugo Lomelí, México, Cámara Nacional de Comercio, 1988: **132, 133** y **155.**

Haciendas de México, México, Fomento Cultural Banamex, 1994: **85, 117** y **132.**

Historia de Jalisco, 4 tomos, Federico A. Solórzano, México, Gobierno del estado de Jalisco, 1993: **96, 126, 140** y **141.**

Historia de las divisiones territoriales de México, Juan O'Gorman, México, Porrúa, 1968 ("Sepan cuantos...", 45): **114.**

Historia de México, t. 5, México, Salvat, 1978: **95.**

Historia de la Ciudad de México, t. 1, Fernando Benítez, México, Salvat, 1984: **97.**

Jalisco. Una invitación a su microhistoria, Guillermo García Oropeza, México, Banca Promex, 1990: **122.**

José María Mercado. Héroe de nuestra Independencia, Salvador Gutiérrez Contreras, México, Gobierno del estado de Jalisco, Secretaría General, Unidad Editorial, 1985: **109.**

La colección pictórica del Banco Nacional de México, Jorge Alberto Manrique y otros, México, Grupo Financiero Banamex-Accival / Fomento Cultural Banamex, 1992: **145.**

Las castas mexicanas. Un género pictórico americano, María Concepción García Sáiz, Milán, Olivetti, 1989: **102** y **103.**

Libro de oro del futbol mexicano, t. 1, México, J. Cid y Mulet, 1960: **138.**

Litografía y grabado en el México del siglo XIX, t. II, México, Grupo Financiero Inbursa, 1994: **27** y **117.**

Men. A Pictorial Archive from Nineteenth-century Sources. 412 Copyright-free Ilustrations for Artist and Designers, Jim Harter (selección), Estados Unidos, Dover Publications, 1980: **60.**

México viejo. Noticias históricas, tradiciones, leyendas y costumbres, Luis González Obregón, México, Patria, 1959.

México visto desde las alturas, México, Fomento Cultural Banamex, 1987: **25.**

Museo de Arte Moderno. 25 años. 1964-1989, México, Conaculta/ INBA / Banco Nacional de Obras y Servicios Públicos, SNC, 1989: **145.**

Museo Nacional de Arte. Una ventana al arte mexicano de cuatro siglos, México, Museo Nacional de Arte del INBA / Conaculta, 1994: **145.**

Programa Nacional de Abanderamiento. 1993, México, Secretaría de Gobernación, Dirección General de Gobierno, 1993: **8.**

Un mural huichol en el Metro de París, México, DDF / Fundación Cultural Mexicana / RATP, 1997: **7** y **39.**

Un palacio para Jalisco, Jaime Olveda *et al.,* México, Gobierno del estado de Jalisco, Secretaría General, Unidad Editorial, 1982.

También se contó con la participación de los siguientes fotógrafos e ilustradores:

Rossana Bohórquez: **42, 52, 58, 97, 104, 105, 107, 112, 113, 118, 123** y **125.**

Rogelio Cuéllar: **144.**

Fulvio Eccardi: **26, 41, 48, 50, 52, 54, 56, 58** y **61.**

Alain Espinosa Mendoza: **20.**

Ricardo Garibay: **137** y **139.**

Betty Groth: **portada** y **125.**

Tatjana Jandova Vascova: **10-11.**

Magdalena Juárez : **108.**

Claudia Navarro: **39, 81, 84, 115, 117, 120** y **135.**

Pablo Ortiz Monasterio: **21, 39** y **68.**

Patricia Velázquez Martínez: **45.**

Ignacio Urquiza: **73** y **148.**

Así como de las instituciones siguientes:

Archivo de la Agencia Mexicana de Noticias (Notimex): **24.**

Aeropuertos y Servicios Auxiliares: **74** y **75.**

Archivo General de la Nación: **119.**

Archivo Histórico Mariano Azuela: **110, 127** y **144.**

Archivo Mexicano de Imágenes *(México Desconocido)*: **26, 28, 29, 32, 33, 44, 46, 48, 49, 50, 51, 52, 55, 56, 62, 64, 65, 67, 70, 71, 118** y **155.**

Colección La vida privada: **76.**

Comisión Nacional del Agua: **30.**

Centro de Estudios de Historia de México (Condumex): **141.**

Cuartoscuro: **155.**

Fototeca de la Coordinación Nacional de Restauración del INAH: **125.**

Editorial Clío Libros y Videos: **85, 87, 90, 94, 100, 101, 104, 108, 109, 111, 113, 116, 117, 123, 129, 132, 133, 135** y **150.**

Fototeca del INAH, Pachuca, Hidalgo: **31, 45, 133, 139** y **142.**

Fototeca del Museo Nacional de Historia. Castillo de Chapultepec:**103, 104, 114, 115, 116, 119, 120, 121, 122, 123, 124, 126, 127, 128, 129, 139** y **141.**

Secretaría de Desarrollo Social: **14, 16, 19, 41, 42, 46, 56, 69, 74, 147** y **156.**

Agradecemos la colaboración de las siguientes personas e instituciones:

Luz Ma. Arróniz de Jarero, Juan Arturo Camacho Becerra, Olivia Campos D'Gallo, Irac Arturo Cordero Ramírez, Denise Córdova Just, Faustinus Deraet, Sergio Dorantes, Alain Espinosa Mendoza, Rafael García de Quevedo Machain, Rosario Garibay, Juan Ramón Gómez, Xavier Guzmán Urbiola, Carlos Hernández Fonseca, José Muro Ríos, Ingebor Montero Alarcón, Jorge Romo Rebeil y Otto Schóundube.

Aeropuertos y Servicios Auxiliares, Archivo General de la Nación, Archivo General Municipal de Guadalajara, Banco de México, Archivo Histórico Mariano Azuela, Archivo Municipal de Zapopan, Banco de México, Biblioteca Pública de Jalisco, Sección Fondos Especiales de la Hemeroteca, Centro de Ecología Marina de la Universidad de Guadalajara, Comisión de Derechos Humanos del D.F., Comisión Federal de Electricidad, Comisión Nacional del Agua, Coordinación Nacional de Asuntos Jurídicos del INAH, Coordinación Nacional de Monumentos Históricos del INAH, Dirección General de Comunicación Social del gobierno del estado de Jalisco, *El Informador,* Fototeca de la Coordinación Nacional de Restauración del INAH, Fototeca del INAH en Pachuca, Hgo., Fototeca del Museo Nacional de Historia. Castillo de Chapultepec, Instituto Cultural "Ignacio Dávila Garibi", A.C., Cámara Nacional de Comercio, Instituto Federal Electoral, Mapoteca del Museo Nacional de los Ferrocarriles Mexicanos, Museo del Periodismo y Artes Gráficas, Museo Nacional de la Revolución, *Ocho Columnas,* Presidencia Municipal de Lagos de Moreno, *Reforma,* Representación del Gobierno del Estado de Jalisco en el D.F., Secretaría de Hacienda y Crédito Público, Scouts de México, A.C. Grupo 14 de Guadalajara, *Siglo 21,* Sistema de Transporte Colectivo Metro, Unidad de Comunicación Social de la Sedesol.

Jalisco. Historia y Geografía. Tercer grado

Se imprimió por encargo de la Comisión
Nacional de Libros de Texto Gratuitos, en
los talleres de Encuadernaciones de Oriente, S.A. de C.V.,
con domicilio en Calle E. núm. 6, Parque Industrial Puebla 2000,
C.P. 72220, Puebla, Pue., el mes de abril de 2001.
El tiraje fue de 159,650 ejemplares
más sobrantes para reposición.